상위권으로 가는 문제 해결 연산 학습지

응용 연산

받아올림, 받아내림 없는
두 자리 수끼리의 덧셈과 뺄셈

Creative to Math

응용연산 : 상위권으로 가는 문제해결 연산 학습지

요즘 아이들은 초등학교 입학 전에 연산 문제집 한 권 정도는 풀어본 경험이 있습니다. 어릴 때부터 연산 문제를 많이 풀었기 때문에 아이들은 아직 학교에서 배우지 않은 계산 문제를 슥슥 풀어서 부모님들을 흐뭇하게 만들기도 합니다. 그런데 아이들의 연산 능력은 날로 높아지지만 수학 실력은 과거에 비해 그다지 늘지 않은 것 같습니다. 사실 진짜 수학 실력은 연산 문제나 사고력 수학 문제를 주로 푸는 초등 저학년 때는 잘 드러나지 않습니다. 응용 문제를 본격적으로 풀기 시작하는 초등 3, 4학년이 되어서야 아이의 수학 실력을 판별할 수 있습니다.

초등 수학에서 연산이 가장 중요한 것은 부정할 수 없는 사실입니다. 중학생, 고등학생이 되어서 부족한 연산 능력을 키우는 것은 거의 불가능합니다. 이러한 연산의 특수성 때문에 아이들은 어린 나이부터 연산을 반복적으로 연습하여 실력을 키우려고 합니다. 이렇게 열심히 연산을 공부하는데도 왜 어떤 아이들은 수학 문제를 잘 풀지 못하는 것일까요? 그 이유는 현재 연산 학습의 목적이 단지 '계산을 잘 하는 것'이 되어버렸기 때문입니다. 연산은 연산 자체가 목적이 될 수 없으며 수학의 진짜 목표인 문제를 잘 풀기 위한 수단으로 연산을 학습해야 합니다.

과거 초등 수학 교과서의 연산 단원은 ① 원리와 연습 ② 문장제 활용의 단순한 구성이었습니다만 요즘의 교과서는 많이 달라졌습니다. 원리와 연습은 그대로이거나 조금 줄었지만 연산을 응용하는 방식은 좀 더 다양해졌습니다. 계산 능력의 향상만을 꾀하는 것이 아니라 여러 가지 퍼즐이나 수학적 상황 등을 해결할 수 있는 '응용력'에 초점을 맞추고 있다는 것을 보여주는 변화입니다. 따라서 저희는 연산 학습지도 원리나 연습 위주에서 벗어나 실제 문제를 해결할 수 있는 능력에 포인트를 맞추어야 한다고 생각합니다.

'연산은 잘 하는데 수학 문제는 왜 못 풀까요?'에 대한 대답이자 대안으로 저희는 「응용연산」이라는 새로운 컨셉의 연산 학습지를 만들었습니다. 연산 원리를 이해하고 연습하는 것에 그치지 않고, 익힌 것을 활용하는 방법을 바로 보여줄 수 있어야 아이들이 수학 문제에 연산을 효과적으로 적용할 수 있습니다. 연습은 꼭 필요한 만큼만 하고, 더 중요한 응용 문제에 바로 도전함으로써 연산과 문제 해결이 단절되지 않게 하는 것이 「응용연산」에서 기대하는 가장 큰 목표입니다.

「응용연산」을 통해 아이들이 왜 연산을 해야 하는지 스스로 느낄 수 있을 것이라 자신합니다. 이제 연산은 '원리'나 '연습'이 아닌 스스로 문제를 해결할 수 있는 '응용력'입니다.

응용연산의 구성과 특징

- 매일 부담없이 4쪽씩 연산 학습
- 매주 4일간 단계별 연산 학습과 응용 문제를 통한 연산 실력 확인
- 매주 1일 형성평가로 테스트 및 복습

주차별 구성

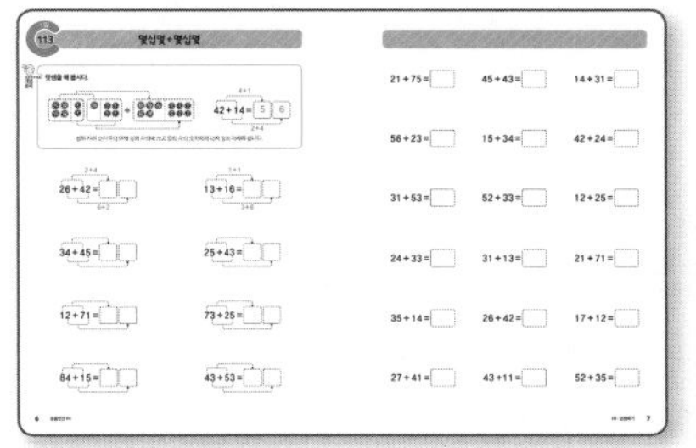

원리연산

대표 문제를 통해 학습하는 매일 새로운 단계별 연산 학습

응용연산

기본 문제와 응용 문제를 통한 응용력과 문제해결력 증진

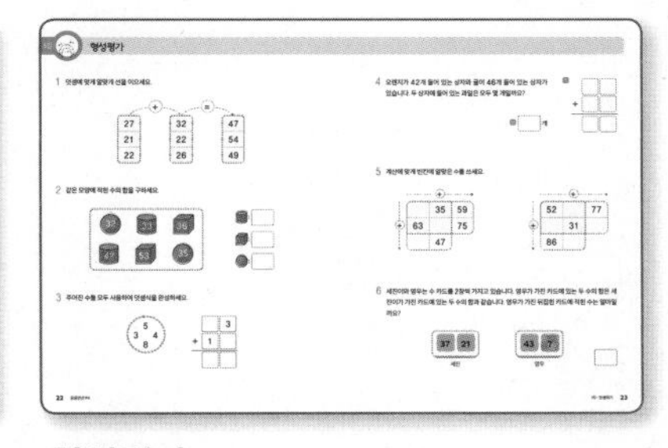

형성평가

가장 중요한 유형을 다시 한번 복습하며 주차 학습 마무리

주차	1일	2일	3일	4일	5일
1주차	6쪽 ~ 9쪽	10쪽 ~ 13쪽	14쪽 ~ 17쪽	18쪽 ~21쪽	22쪽 ~ 24쪽
2주차	26쪽 ~ 29쪽	30쪽 ~ 33쪽	34쪽 ~ 37쪽	38쪽 ~41쪽	42쪽 ~ 44쪽
3주차	46쪽 ~ 49쪽	50쪽 ~ 53쪽	54쪽 ~ 57쪽	58쪽 ~61쪽	62쪽 ~ 64쪽
4주차	66쪽 ~ 69쪽	70쪽 ~ 73쪽	74쪽 ~ 77쪽	78쪽 ~81쪽	82쪽 ~ 84쪽

정답 및 해설

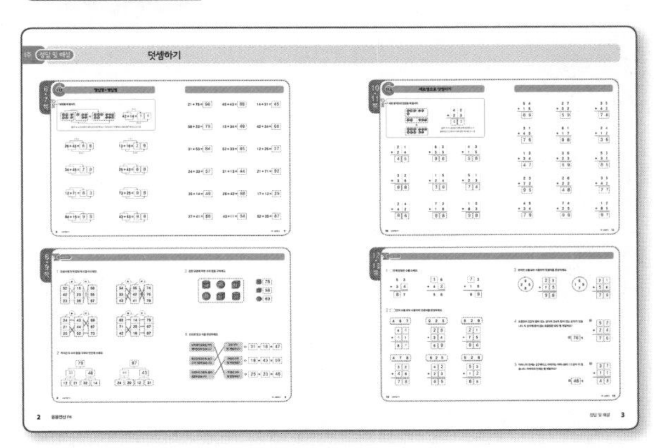

문제와 답을 한눈에 볼 수 있습니다.

이 책의
차례

1주차

덧셈하기

받아올림이 없는 두 자리 수끼리의 덧셈

몇십몇+몇십몇

덧셈을 해 봅시다.

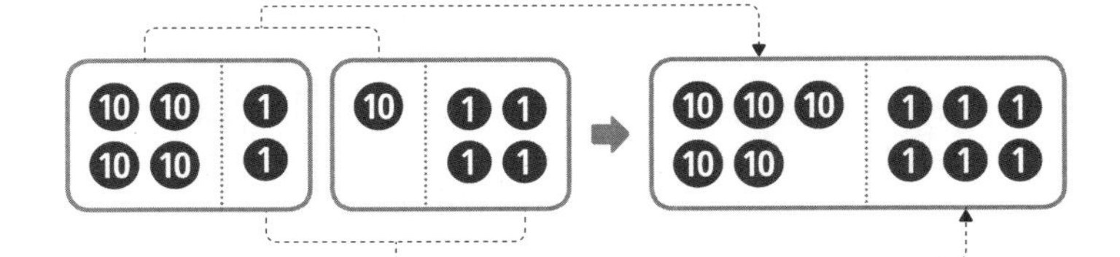

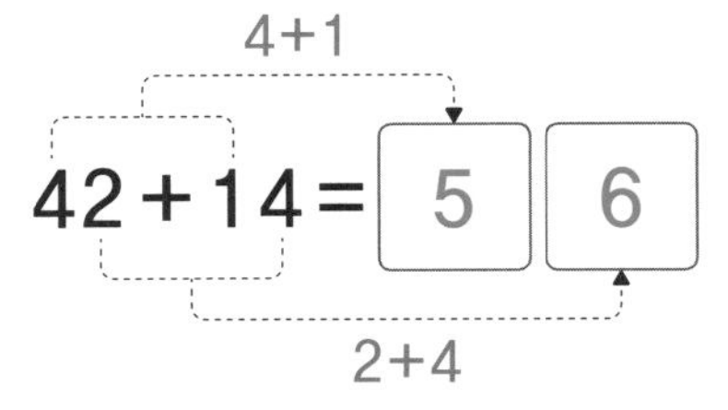

십의 자리 숫자끼리 더해 십의 자리에 쓰고 일의 자리 숫자끼리 더해 일의 자리에 씁니다.

2+4
26+42= ☐ ☐
6+2

1+1
13+16= ☐ ☐
3+6

34+45= ☐ ☐

25+43= ☐ ☐

12+71= ☐ ☐

73+25= ☐ ☐

84+15= ☐ ☐

43+53= ☐ ☐

$21 + 75 = \square$

$45 + 43 = \square$

$14 + 31 = \square$

$56 + 23 = \square$

$15 + 34 = \square$

$42 + 24 = \square$

$31 + 53 = \square$

$52 + 33 = \square$

$12 + 25 = \square$

$24 + 33 = \square$

$31 + 13 = \square$

$21 + 71 = \square$

$35 + 14 = \square$

$26 + 42 = \square$

$17 + 12 = \square$

$27 + 41 = \square$

$43 + 11 = \square$

$52 + 35 = \square$

1 덧셈식에 맞게 알맞게 선을 이으세요.

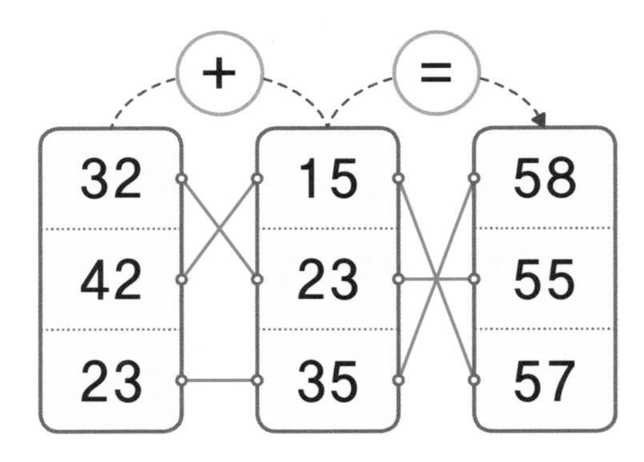

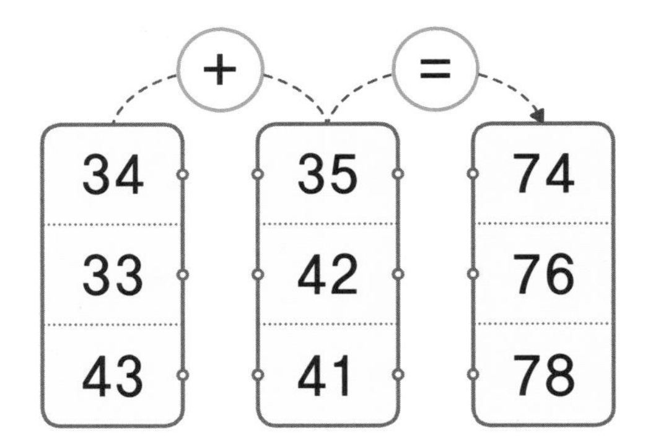

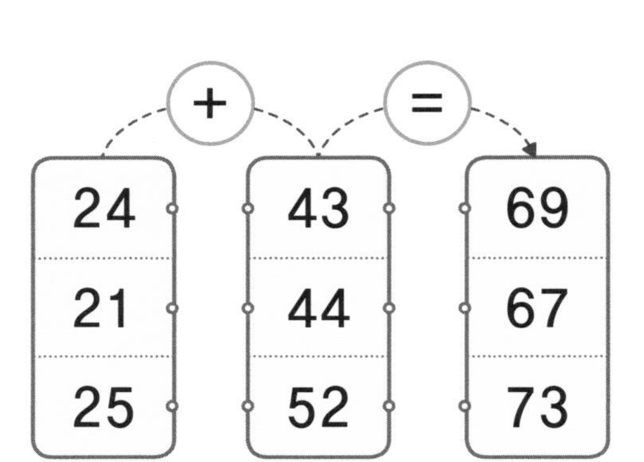

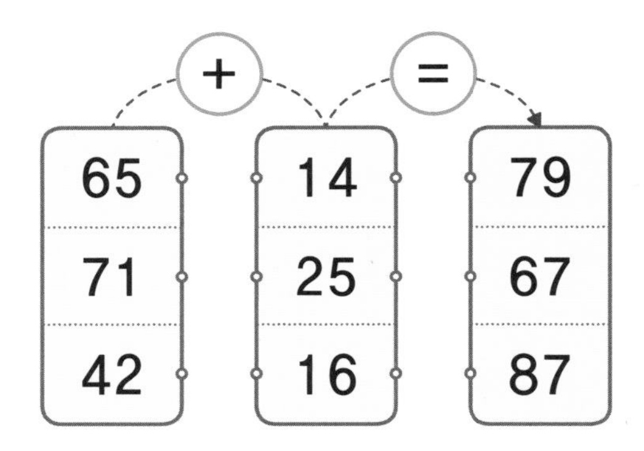

2 짝지은 두 수의 합을 구하여 빈칸에 쓰세요.

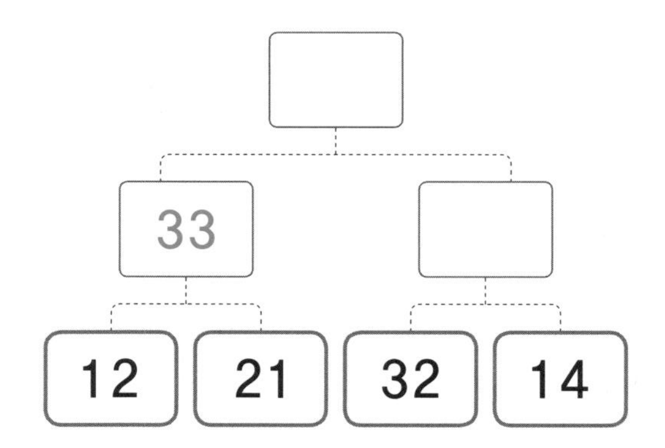

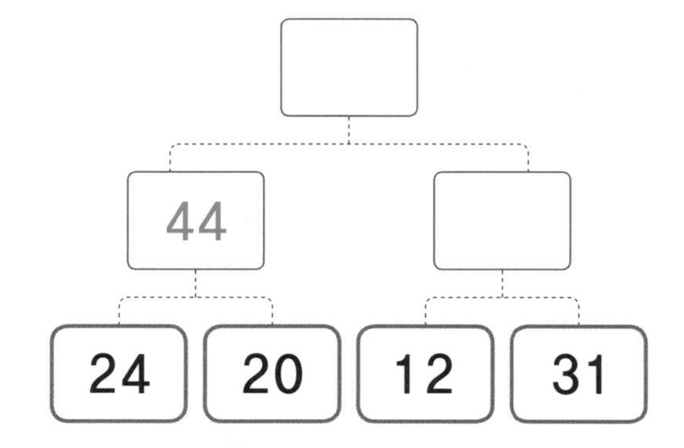

3 같은 모양에 적힌 수의 합을 구하세요.

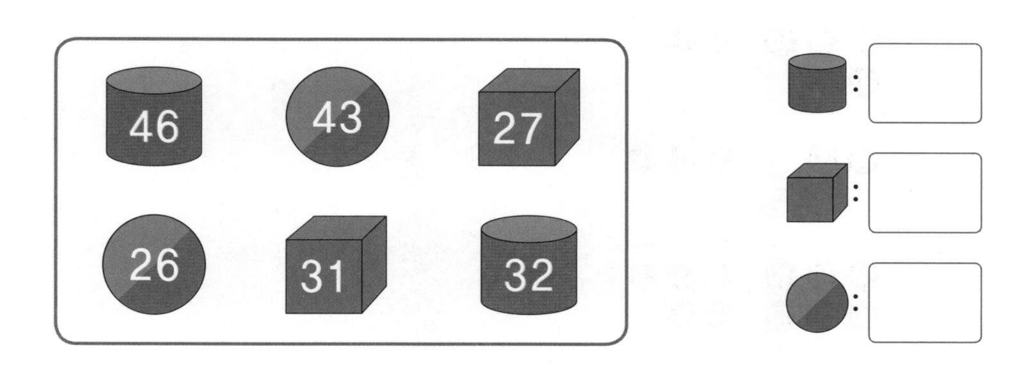

4 선으로 잇고 식을 완성하세요.

남학생이 25명, 여학생이 23명 있습니다.	공은 모두 몇 개일까요?	⇨ □ + □ = □
축구공이 31개, 농구공이 16개 있습니다.	과일은 모두 몇 개일까요?	⇨ □ + □ = □
오렌지가 16개, 귤이 43개 있습니다.	학생은 모두 몇 명일까요?	⇨ □ + □ = □

세로셈으로 덧셈하기

개념원리

세로 방식으로 덧셈을 해 봅시다.

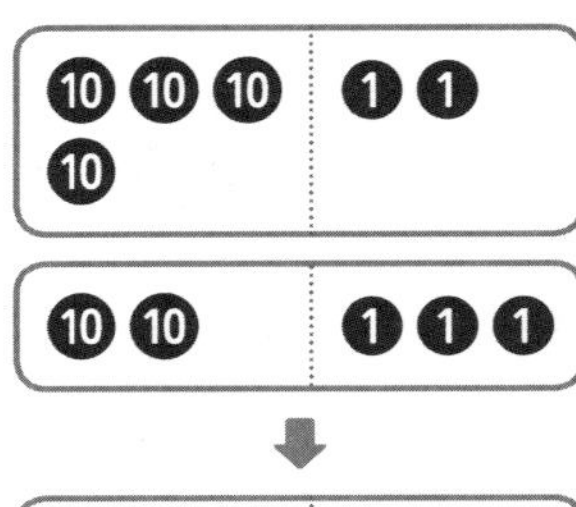

$$\begin{array}{cc} & 4\ 2 \\ + & 2\ 3 \\ \hline & 6\ 5 \end{array}$$

십의 자리 숫자끼리 더해 십의 자리에 쓰고
일의 자리 숫자끼리 더해 일의 자리에 씁니다.

$$\begin{array}{cc} & 2\ 1 \\ + & 2\ 4 \\ \hline & \square\ \square \end{array}$$

$$\begin{array}{cc} & 6\ 3 \\ + & 3\ 3 \\ \hline & \square\ \square \end{array}$$

$$\begin{array}{cc} & 4\ 3 \\ + & 1\ 5 \\ \hline & \square\ \square \end{array}$$

$$\begin{array}{cc} & 3\ 2 \\ + & 3\ 6 \\ \hline & \square\ \square \end{array}$$

$$\begin{array}{cc} & 1\ 5 \\ + & 2\ 4 \\ \hline & \square\ \square \end{array}$$

$$\begin{array}{cc} & 5\ 1 \\ + & 2\ 3 \\ \hline & \square\ \square \end{array}$$

$$\begin{array}{cc} & 2\ 4 \\ + & 4\ 2 \\ \hline & \square\ \square \end{array}$$

$$\begin{array}{cc} & 7\ 2 \\ + & 1\ 6 \\ \hline & \square\ \square \end{array}$$

$$\begin{array}{cc} & 1\ 5 \\ + & 8\ 3 \\ \hline & \square\ \square \end{array}$$

$$\begin{array}{r} 54 \\ +\ 15 \\ \hline \square \end{array}$$

$$\begin{array}{r} 27 \\ +\ 32 \\ \hline \square \end{array}$$

$$\begin{array}{r} 35 \\ +\ 43 \\ \hline \square \end{array}$$

$$\begin{array}{r} 31 \\ +\ 45 \\ \hline \square \end{array}$$

$$\begin{array}{r} 81 \\ +\ 17 \\ \hline \square \end{array}$$

$$\begin{array}{r} 24 \\ +\ 12 \\ \hline \square \end{array}$$

$$\begin{array}{r} 13 \\ +\ 34 \\ \hline \square \end{array}$$

$$\begin{array}{r} 36 \\ +\ 23 \\ \hline \square \end{array}$$

$$\begin{array}{r} 53 \\ +\ 32 \\ \hline \square \end{array}$$

$$\begin{array}{r} 23 \\ +\ 72 \\ \hline \square \end{array}$$

$$\begin{array}{r} 26 \\ +\ 22 \\ \hline \square \end{array}$$

$$\begin{array}{r} 35 \\ +\ 42 \\ \hline \square \end{array}$$

$$\begin{array}{r} 45 \\ +\ 34 \\ \hline \square \end{array}$$

$$\begin{array}{r} 74 \\ +\ 25 \\ \hline \square \end{array}$$

$$\begin{array}{r} 12 \\ +\ 85 \\ \hline \square \end{array}$$

1 □ 안에 알맞은 수를 쓰세요.

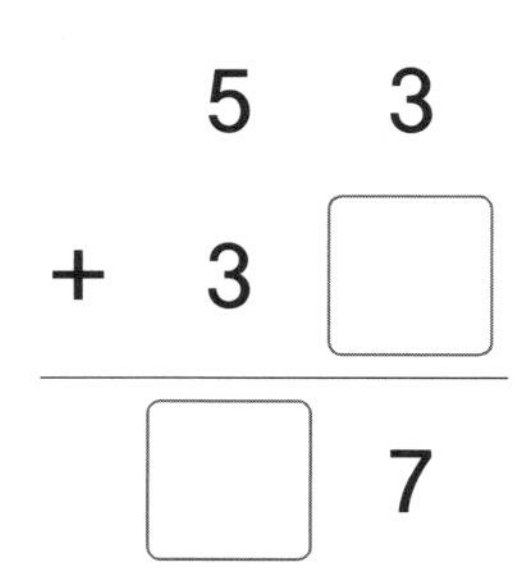

$$\begin{array}{r} \square\ 6 \\ +\ 4\ \square \\ \hline 5\ 8 \end{array}$$

$$\begin{array}{r} \square\ 3 \\ +\ 1\ 6 \\ \hline 8\ \square \end{array}$$

2 ▭ 안의 수를 모두 사용하여 덧셈식을 완성하세요.

4 6 7

$$\begin{array}{r} 4\ 6 \\ +\ 4\ 1 \\ \hline 8\ 7 \end{array}$$

9 2 5

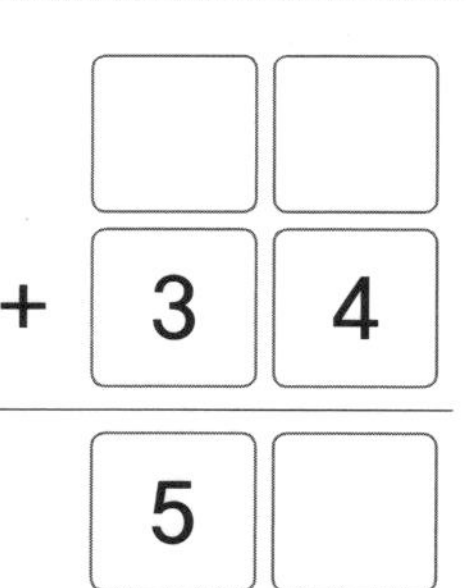

6 2 9

$$\begin{array}{r} \square\ 1 \\ +\ 7\ 5 \\ \hline \square\ \square \end{array}$$

4 7 8

$$\begin{array}{r} 3\ 2 \\ +\ \square\ 6 \\ \hline \square\ \square \end{array}$$

6 2 5

$$\begin{array}{r} 4\ \square \\ +\ 2\ 3 \\ \hline \square\ \square \end{array}$$

5 2 6

$$\begin{array}{r} \square\ 3 \\ +\ 1\ \square \\ \hline \square\ 5 \end{array}$$

3 주어진 수를 모두 사용하여 덧셈식을 완성하세요.

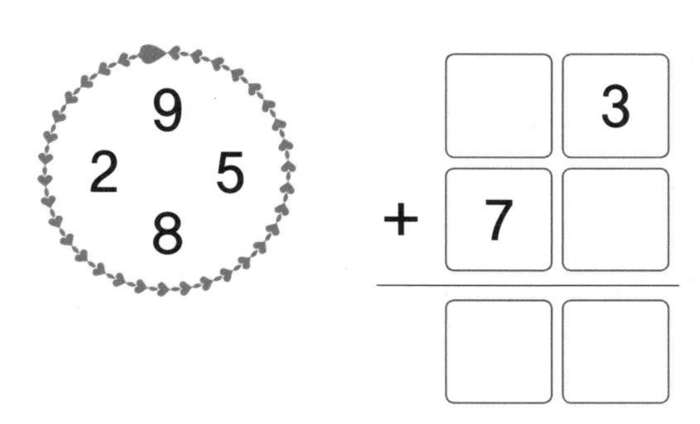

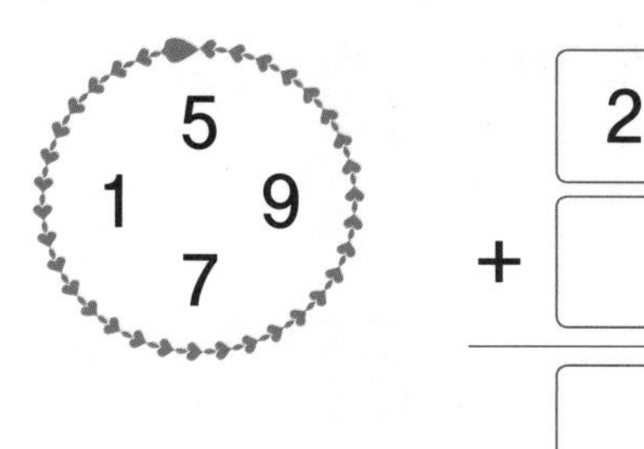

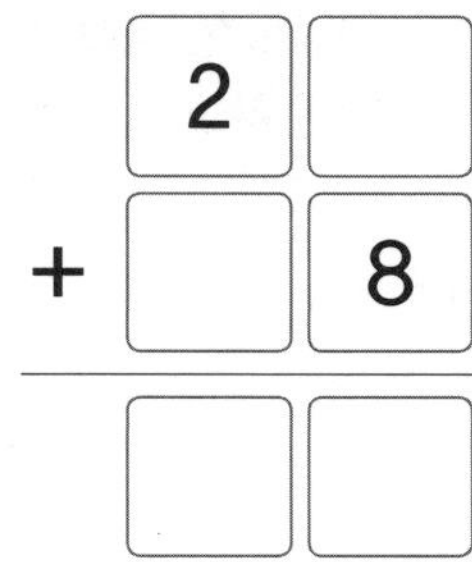

4 초콜릿이 52개 들어 있는 상자와 24개 들어 있는 상자가 있습니다. 두 상자에 들어 있는 초콜릿은 모두 몇 개일까요?

식

답 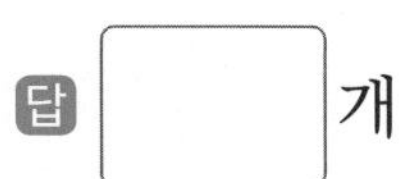 개

5 어머니의 연세는 37세이고, 아버지는 어머니보다 11살이 더 많습니다. 아버지의 연세는 몇 세일까요?

식

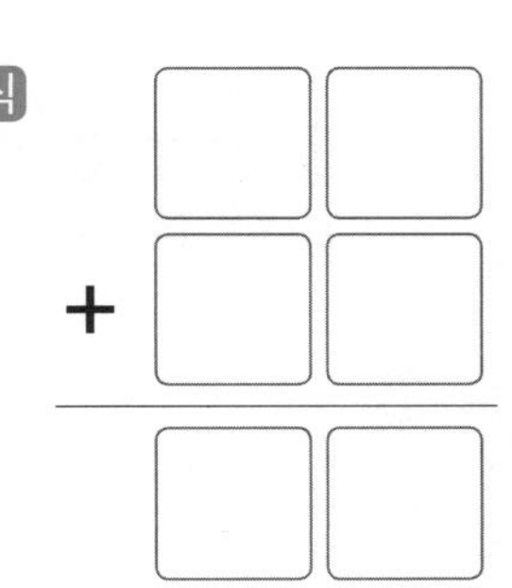

답  세

115 □가 있는 덧셈

?에 알맞은 수를 구해 봅시다.

⑩⑩⑩ ①① [?] → ⑩⑩⑩⑩ ①①①①①

식 32+□=45

□= 13

?에 알맞은 수를 □라 하여 식을 세웁니다.

⑩⑩⑩⑩ ①① [?] → ⑩⑩⑩⑩⑩⑩⑩ ①①①①

식

□=

⑩⑩⑩ ①①①①① [?] → ⑩⑩⑩⑩⑩ ①①①①①①①①

식

□=

[?] ⑩⑩ ①①①①①① → ⑩⑩⑩⑩⑩⑩⑩⑩ ①①①①①①①

식

□=

[?] ⑩⑩⑩ ① → ⑩⑩⑩⑩⑩⑩ ①①①①

식

□=

$51 + \square = 75$

$\square + 28 = 39$

$44 + \square = 58$

$82 + \square = 98$

$\square + 42 = 77$

$54 + \square = 86$

$47 + \square = 67$

$\square + 74 = 89$

$33 + \square = 78$

$52 + \square = 86$

$\square + 31 = 54$

$65 + \square = 86$

$$\begin{array}{r} 1\ 5 \\ +\ \square \\ \hline 2\ 7 \end{array}$$

$$\begin{array}{r} 2\ 4 \\ +\ \square \\ \hline 5\ 5 \end{array}$$

$$\begin{array}{r} 5\ 3 \\ +\ \square \\ \hline 7\ 6 \end{array}$$

$$\begin{array}{r} \square \\ +\ 3\ 3 \\ \hline 8\ 4 \end{array}$$

$$\begin{array}{r} \square \\ +\ 2\ 4 \\ \hline 3\ 6 \end{array}$$

$$\begin{array}{r} \square \\ +\ 1\ 6 \\ \hline 4\ 7 \end{array}$$

1 계산에 맞게 선을 그으세요.

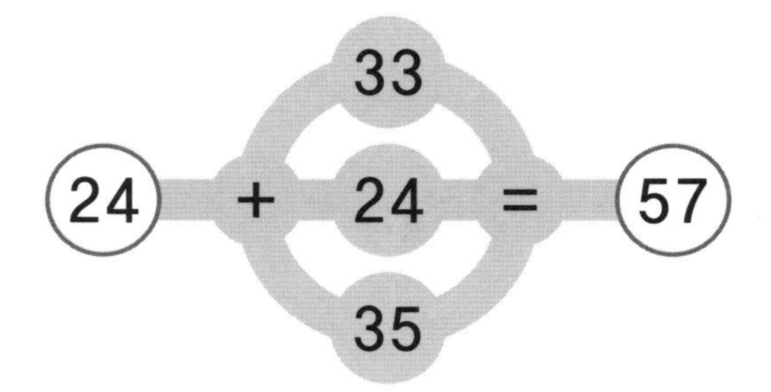

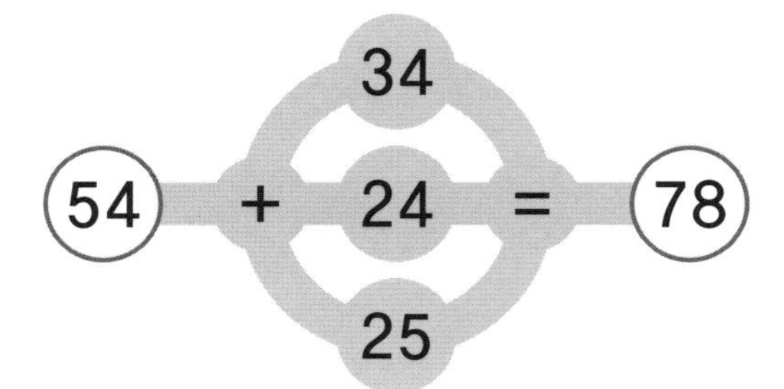

2 빈칸에 알맞은 수를 쓰세요.

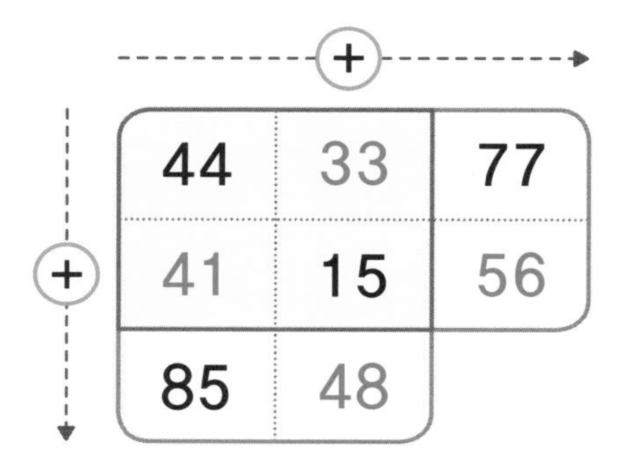

	24	56
85	39	

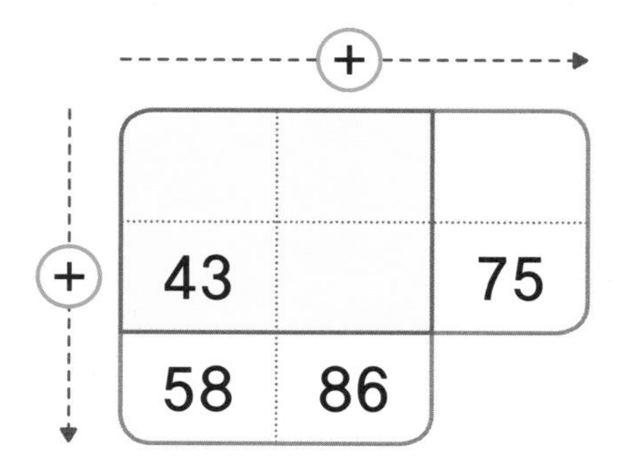

	22	
51		88
94		

3 준희가 가진 카드에 있는 두 수의 합은 희영이가 가진 카드에 있는 두 수의 합과 같습니다. 준희가 가진 뒤집힌 카드에 적힌 수는 얼마일까요?

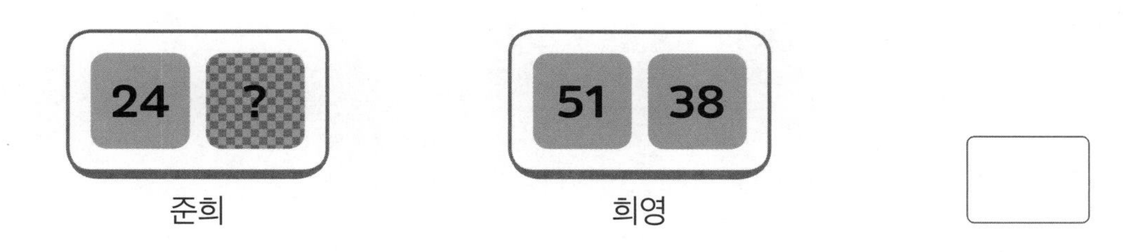

4 다음과 같이 밑줄 친 곳에 알맞게 쓰고, 어떤 수를 구하세요.

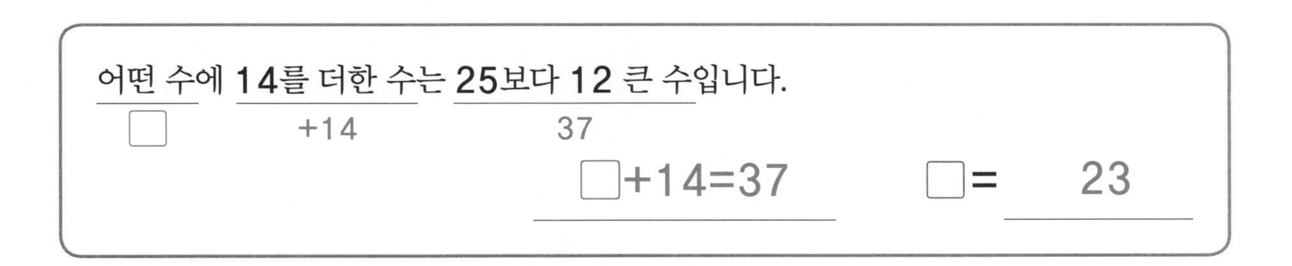

42에 어떤 수를 더한 수는 56보다 23 큰 수입니다.

□= ______

어떤 수에 25를 더한 수는 33보다 45 큰 수입니다.

□= ______

합이 되는 두 수 찾기

합에 맞게 두 수를 찾아 덧셈식을 완성하여 봅시다.

21 36 33 42

21 + 33 = 54

36 + 42 = 78

합이 54인 두 수를 찾으려면 먼저 일의 자리 숫자의 합이 4인 두 수를 찾습니다.

15 21 22 23

☐ + ☐ = 38

☐ + ☐ = 43

41 42 43 52

☐ + ☐ = 84

☐ + ☐ = 94

32 46 41 45

☐ + ☐ = 78

☐ + ☐ = 86

24 33 25 26

☐ + ☐ = 49

☐ + ☐ = 59

21	35	42

21 + 42 = 63

□ + □ = 77

□ + □ = 56

44	31	52

□ + □ = 83

□ + □ = 96

□ + □ = 75

24	32	45

□ + □ = 69

□ + □ = 56

□ + □ = 77

53	43	33

□ + □ = 86

□ + □ = 76

□ + □ = 96

62	34	21

□ + □ = 55

□ + □ = 83

□ + □ = 96

55	30	32

□ + □ = 87

□ + □ = 62

□ + □ = 85

1 합이 가운데 수가 되는 두 수에 색칠하고 덧셈식을 완성하세요.

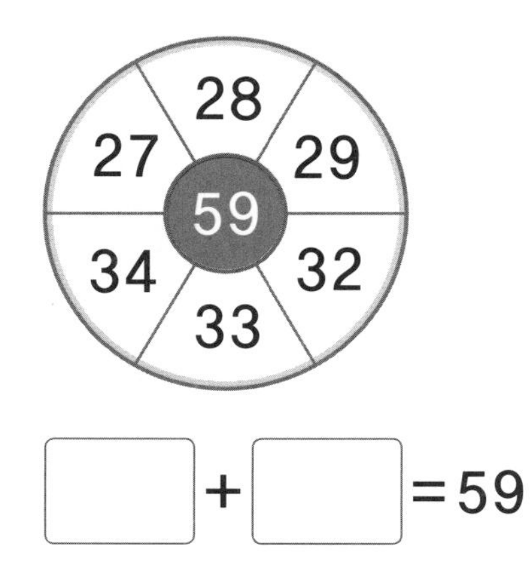

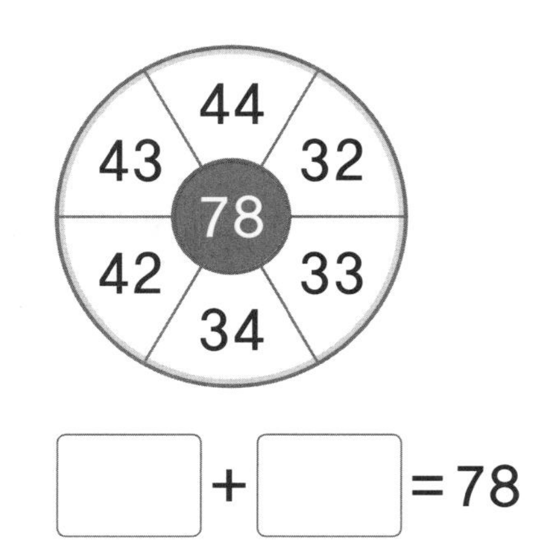

☐ + ☐ = 59

☐ + ☐ = 78

2 합에 맞게 두 수를 선으로 연결하세요.

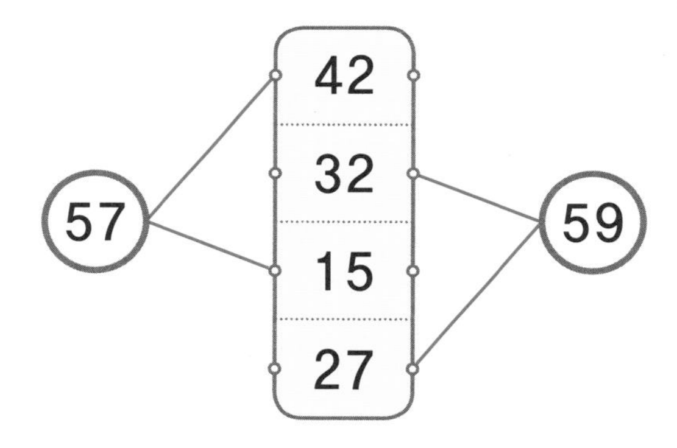

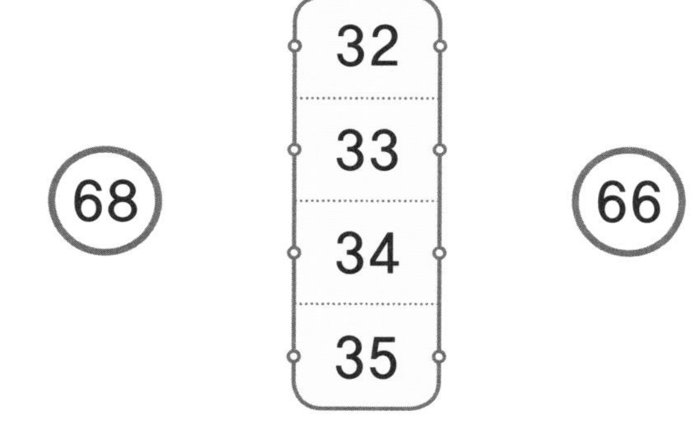

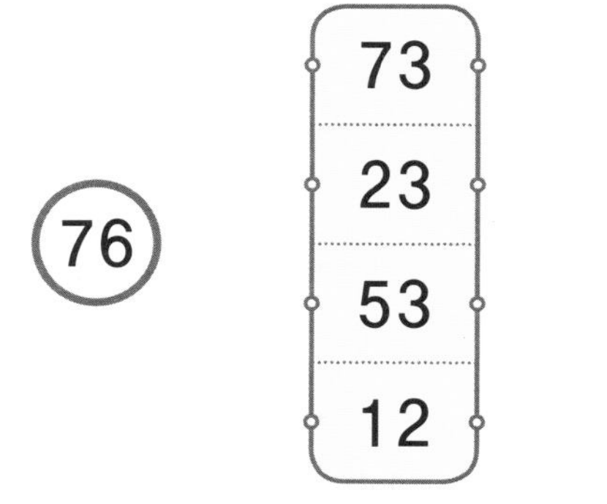

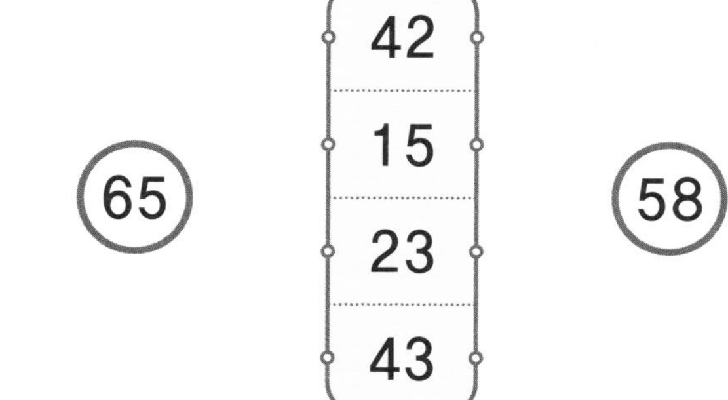

3 일의 자리 숫자가 5인 두 자리 수와 십의 자리 숫자가 3인 두 자리 수가 있습니다. 이 두 수의 합이 78일 때 두 수를 각각 구하세요.

4 승희, 지우, 재희, 기주가 가지고 있는 동화책의 수입니다. 물음에 답하세요.

이름	승희	지우	재희	기주
동화책의 수(권)	24	35	21	31

동화책을 가장 많이 가지고 있는 사람과 가장 적게 가지고 있는 사람의 동화책을 모으면 모두 몇 권일까요?

식 □ + □ = □　　답 □ 권

두 사람이 가진 동화책을 모두 모았더니 55권입니다. 누구와 누구의 동화책을 모은 것일까요?

식 □ + □ = 55　　답 ______ 와 ______

형성평가

1 덧셈에 맞게 알맞게 선을 이으세요.

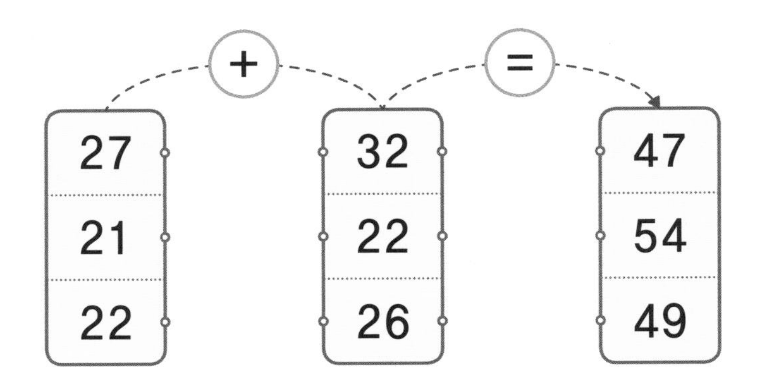

2 같은 모양에 적힌 수의 합을 구하세요.

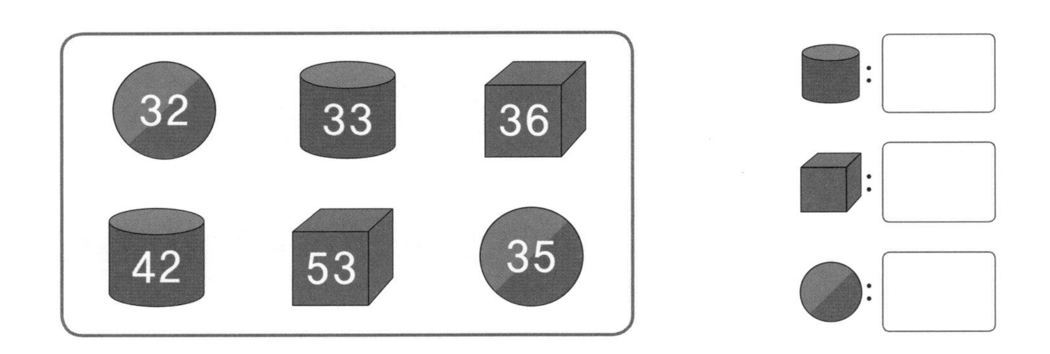

3 주어진 수를 모두 사용하여 덧셈식을 완성하세요.

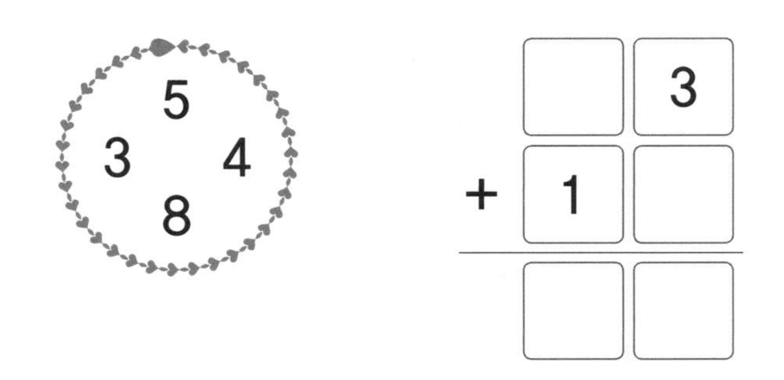

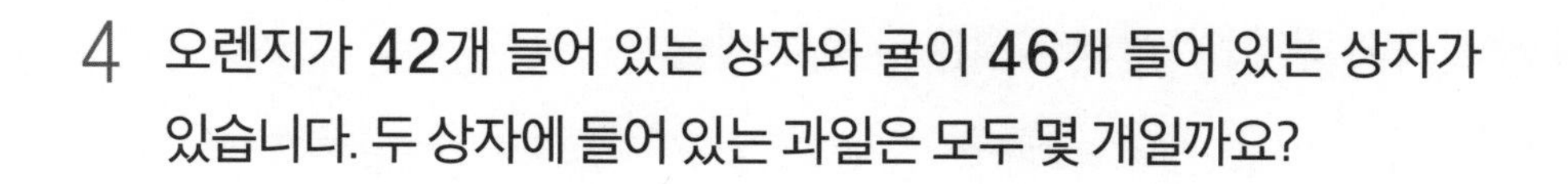

4 오렌지가 42개 들어 있는 상자와 귤이 46개 들어 있는 상자가 있습니다. 두 상자에 들어 있는 과일은 모두 몇 개일까요?

식

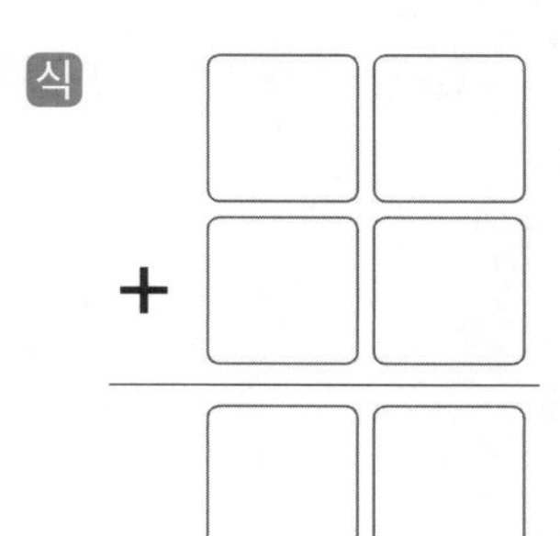

답  개

5 계산에 맞게 빈칸에 알맞은 수를 쓰세요.

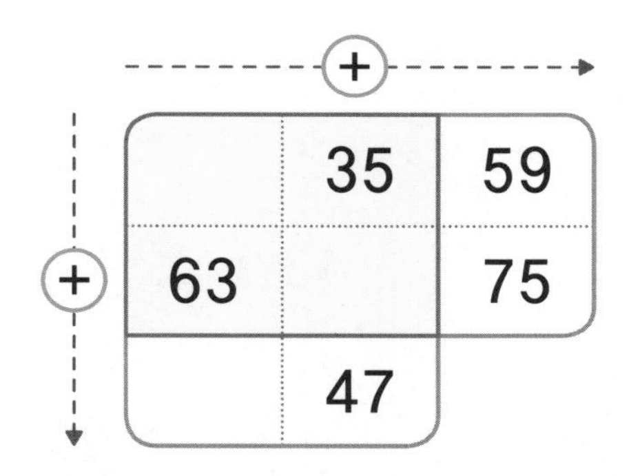

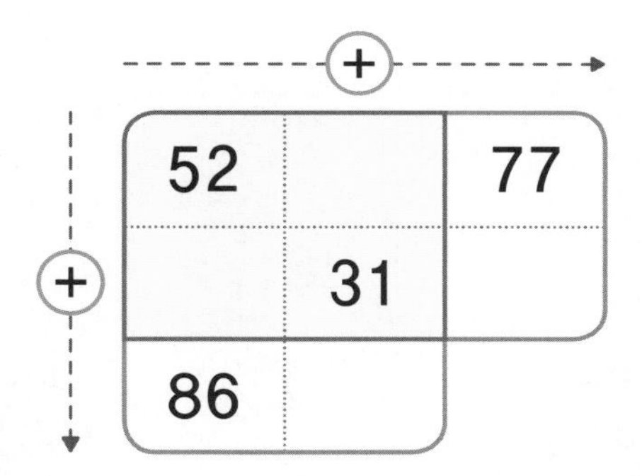

6 세진이와 영우는 수 카드를 2장씩 가지고 있습니다. 영우가 가진 카드에 있는 두 수의 합은 세진이가 가진 카드에 있는 두 수의 합과 같습니다. 영우가 가진 뒤집힌 카드에 적힌 수는 얼마일까요?

세진

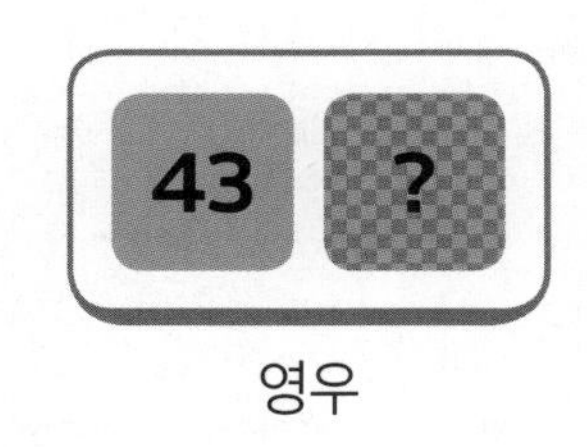

영우

7 주어진 수를 사용하여 계산 결과에 맞게 □ 안에 알맞은 수를 쓰세요.

35 44 43

□ + □ = 78

□ + □ = 87

8 합에 맞게 두 수를 선으로 연결하세요.

79	28 / 33 / 51 / 45	78

58	43 / 25 / 33 / 24	67

9 일의 자리 숫자가 8인 두 자리 수와 십의 자리 숫자가 2인 두 자리 수가 있습니다. 이 두 수의 합이 69일 때 두 수를 각각 구하세요.

□8　2□

두 수: □, □

2주차

뺄셈하기

받아내림이 없는 두 자리 수끼리의 뺄셈

117 몇십몇 - 몇십몇

개념원리

빨셈을 해 봅시다.

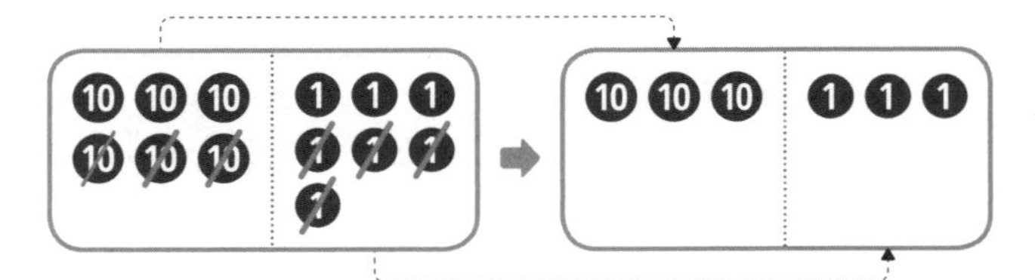

6−3

67 − 34 = 3 3

7−4

십의 자리 숫자끼리 빼서 십의 자리에 쓰고
일의 자리 숫자끼리 빼서 일의 자리에 씁니다.

8−6

84 − 61 = ☐☐

4−1

6−3

67 − 35 = ☐☐

7−5

56 − 12 = ☐☐

73 − 22 = ☐☐

48 − 24 = ☐☐

92 − 52 = ☐☐

27 − 12 = ☐☐

68 − 36 = ☐☐

$63 - 21 = \square$ $37 - 13 = \square$ $44 - 34 = \square$

$85 - 35 = \square$ $76 - 24 = \square$ $68 - 32 = \square$

$38 - 24 = \square$ $59 - 14 = \square$ $26 - 13 = \square$

$54 - 31 = \square$ $94 - 53 = \square$ $83 - 20 = \square$

$96 - 62 = \square$ $85 - 22 = \square$ $39 - 15 = \square$

$27 - 15 = \square$ $43 - 11 = \square$ $74 - 33 = \square$

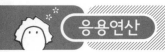

1 뺄셈식에 맞게 알맞게 선을 이으세요.

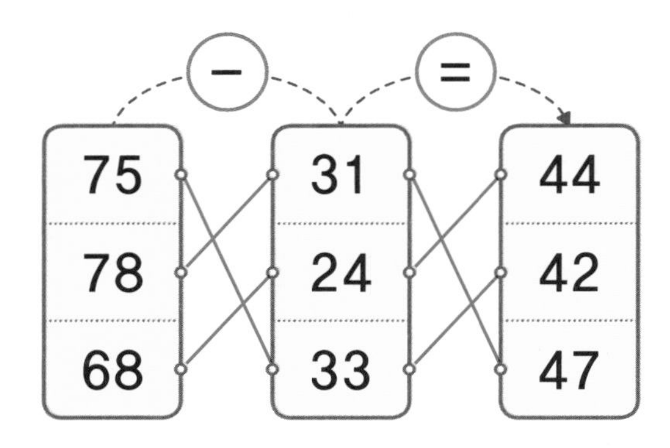

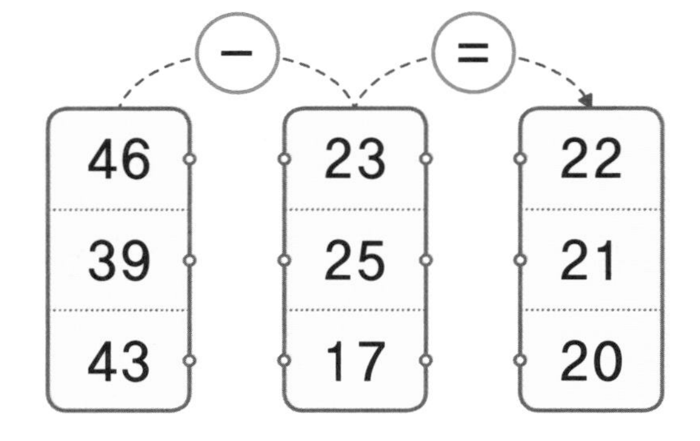

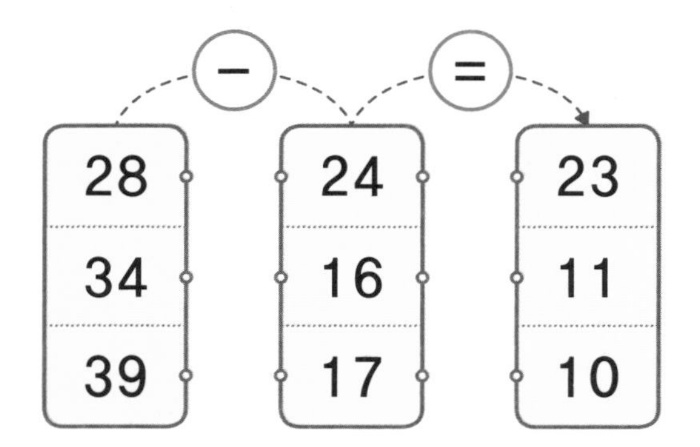

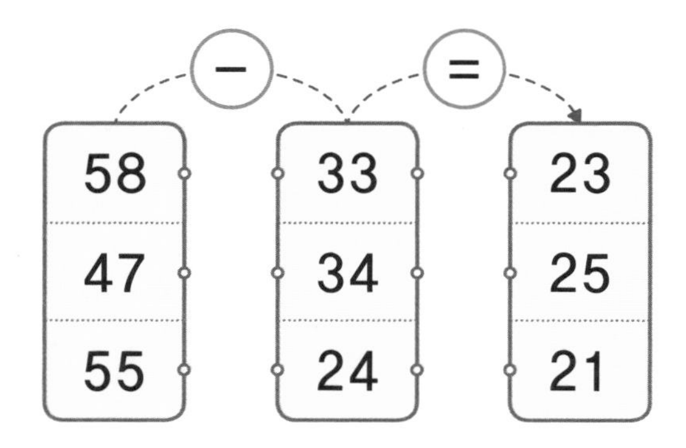

2 짝지은 두 수의 차를 구하여 빈칸에 쓰세요.

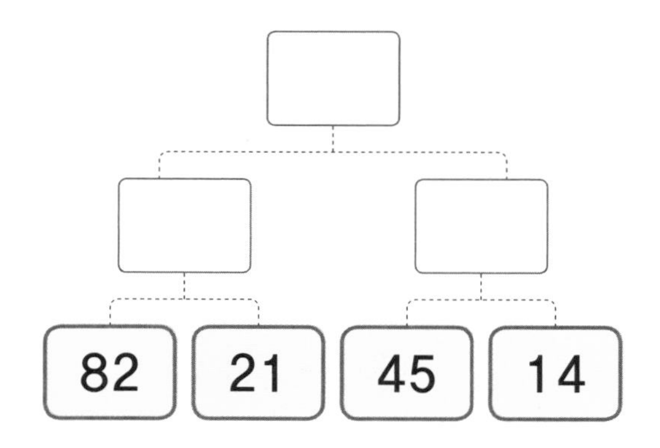

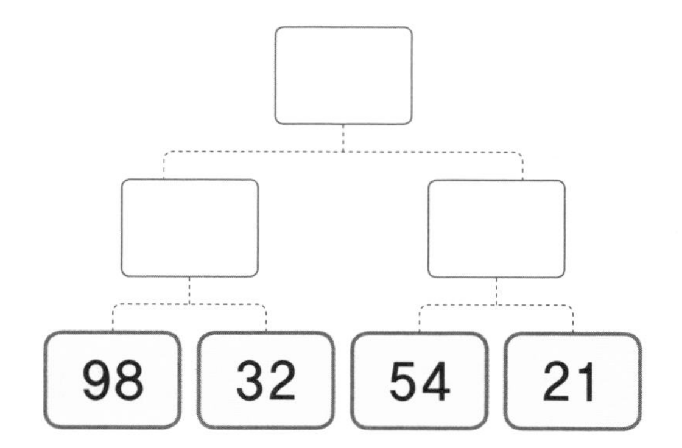

3 그림을 보고 알맞은 것끼리 선으로 연결하세요.

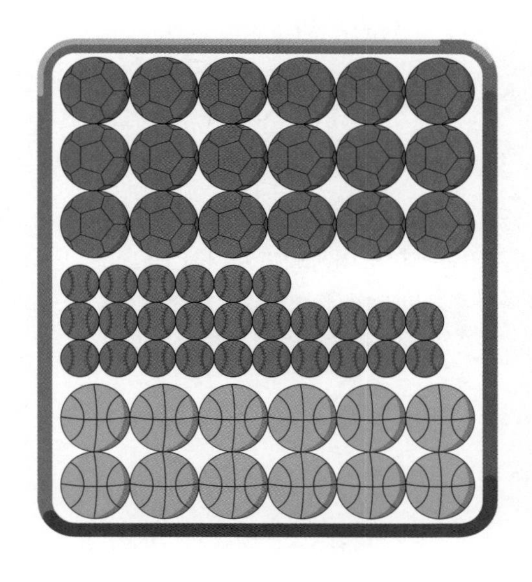

야구공은 축구공보다 몇 개 더 많을까요?	18 − 12
축구공은 농구공보다 몇 개 더 많을까요?	26 − 18
야구공은 농구공보다 몇 개 더 많을까요?	26 − 12

4 농장에 병아리 89마리와 오리 46마리가 있습니다. 병아리는 오리보다 몇 마리 더 많을까요?

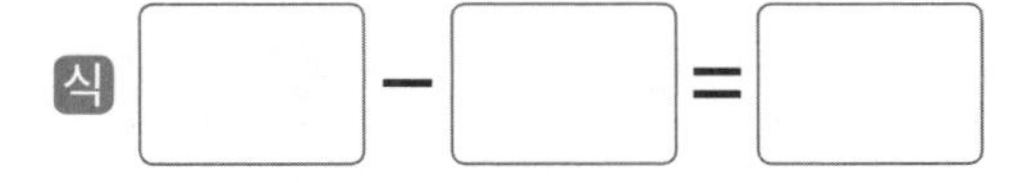

답 [ ] 마리

5 빵집에 도넛이 10개씩 들어 있는 봉지 6개와 낱개 6개가 있습니다. 그중에 봉지 2개와 낱개 3개를 팔았다면 도넛은 몇 개 남았을까요?

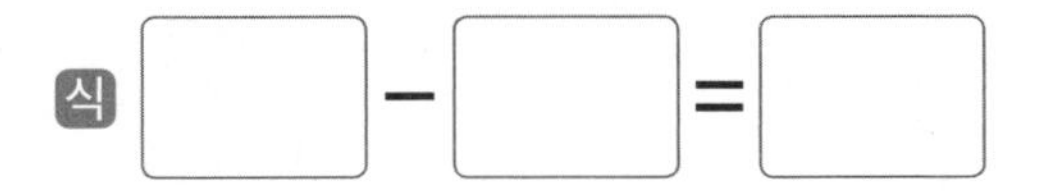

답 [ ] 개

세로셈으로 뺄셈하기

세로 방식으로 뺄셈하는 방법을 알아봅시다.

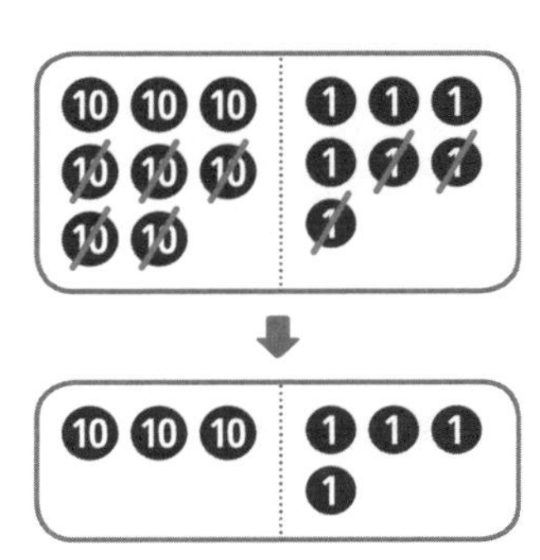

	8	7
−	5	3
	3	4

십의 자리 숫자끼리 빼서 십의 자리에 쓰고
일의 자리 숫자끼리 빼서 일의 자리에 씁니다.

	3	8
−	1	5

	6	7
−	2	2

	4	8
−	2	7

	4	6
−	1	1

	8	4
−	4	2

	5	6
−	2	4

	9	5
−	3	3

	2	9
−	1	4

	7	8
−	4	5

$$\begin{array}{r} 25 \\ -\ 13 \\ \hline \square \end{array}$$

$$\begin{array}{r} 56 \\ -\ 35 \\ \hline \square \end{array}$$

$$\begin{array}{r} 74 \\ -\ 21 \\ \hline \square \end{array}$$

$$\begin{array}{r} 96 \\ -\ 24 \\ \hline \square \end{array}$$

$$\begin{array}{r} 62 \\ -\ 32 \\ \hline \square \end{array}$$

$$\begin{array}{r} 48 \\ -\ 16 \\ \hline \square \end{array}$$

$$\begin{array}{r} 37 \\ -\ 24 \\ \hline \square \end{array}$$

$$\begin{array}{r} 85 \\ -\ 53 \\ \hline \square \end{array}$$

$$\begin{array}{r} 28 \\ -\ 14 \\ \hline \square \end{array}$$

$$\begin{array}{r} 86 \\ -\ 23 \\ \hline \square \end{array}$$

$$\begin{array}{r} 95 \\ -\ 32 \\ \hline \square \end{array}$$

$$\begin{array}{r} 58 \\ -\ 35 \\ \hline \square \end{array}$$

$$\begin{array}{r} 69 \\ -\ 43 \\ \hline \square \end{array}$$

$$\begin{array}{r} 48 \\ -\ 15 \\ \hline \square \end{array}$$

$$\begin{array}{r} 76 \\ -\ 65 \\ \hline \square \end{array}$$

1 □ 안에 알맞은 수를 쓰세요.

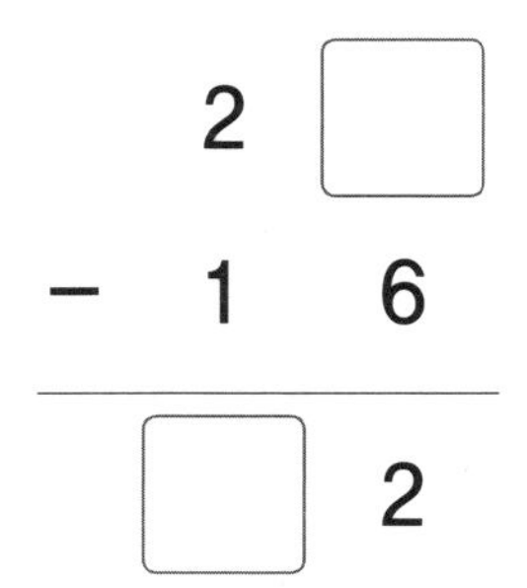

$$\begin{array}{r} 9\ 6 \\ -\ \square\ 3 \\ \hline 6\ \square \end{array}$$

$$\begin{array}{r} 8\ \square \\ -\ \square\ 1 \\ \hline 3\ 2 \end{array}$$

2 ▭ 안의 수를 모두 사용하여 뺄셈식을 완성하세요.

3 2 4

$$\begin{array}{r} 3\ 6 \\ -\ 1\ 4 \\ \hline 2\ 2 \end{array}$$

6 2 8

$$\begin{array}{r} \square\ \square \\ -\ 4\ 3 \\ \hline \square\ 5 \end{array}$$

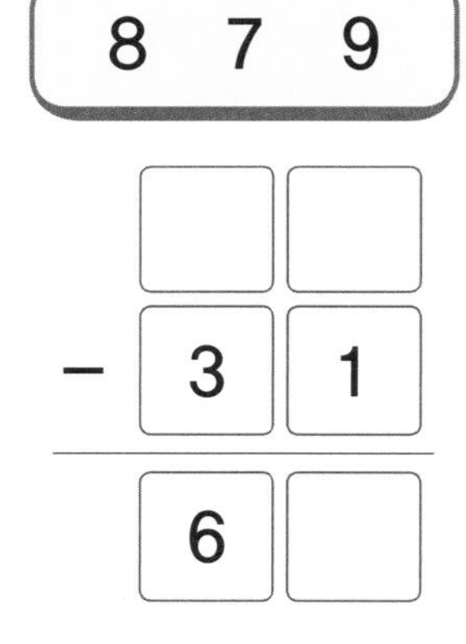

4 5 6

$$\begin{array}{r} 8\ \square \\ -\ \square\ \square \\ \hline 3\ 2 \end{array}$$

4 2 5

$$\begin{array}{r} 4\ \square \\ -\ \square\ 1 \\ \hline 2\ \square \end{array}$$

1 8 3

$$\begin{array}{r} \square\ 7 \\ -\ 5\ \square \\ \hline \square\ 6 \end{array}$$

3 주어진 수를 모두 사용하여 뺄셈식을 완성하세요.

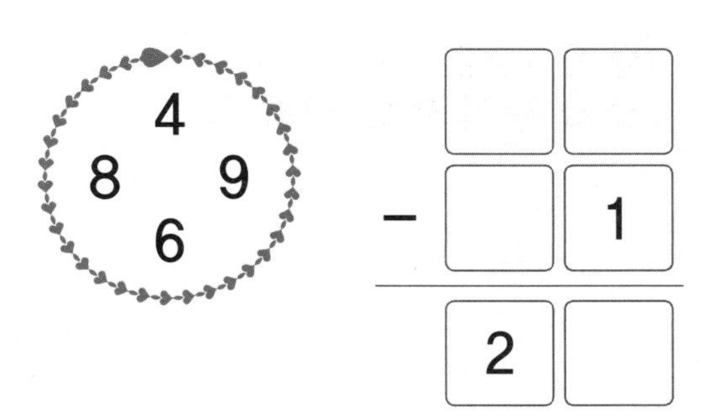

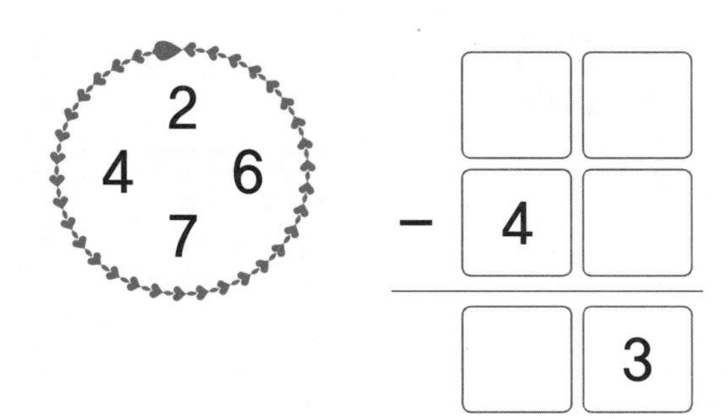

4 공책 58권을 민지와 지혜가 나누어 가지려고 합니다.
민지가 26권을 가지면 지혜는 몇 권을 가지게 될까요?

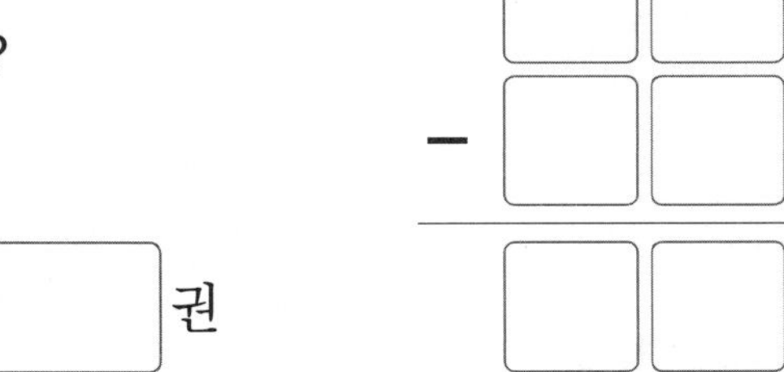

5 영지네 학교의 학생은 89명입니다. 그중 안경을 낀 학생이
54명입니다. 안경을 끼지 않은 학생은 몇 명일까요?

식

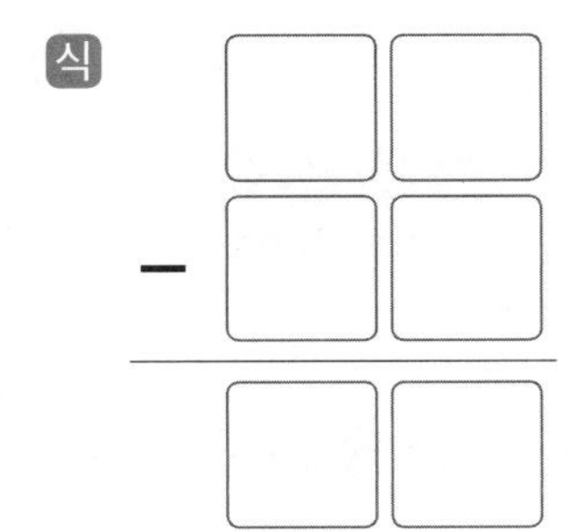

답 명

□가 있는 뺄셈

빼는 수만큼 ╱로 지우고, 뺄셈식을 완성하여 봅시다.

⑩ ⑩ ⑩ ⑩ / ① ① ①

$43 - \boxed{31} = 12$

43에서 12를 남기고 지우려면
╱로 31만큼 지워야 합니다.

⑩ ⑩ ⑩ ⑩ ⑩ / ① ① ① ① ① ① ① ① ①

$\boxed{59} - 23 = \boxed{36}$

빼는 수 23만큼 ╱로 지우면
59에서 남은 수는 36이 됩니다.

⑩ ⑩ ⑩ ⑩ ⑩ ⑩ ⑩ / ① ① ① ① ① ①

$76 - \boxed{} = 34$

⑩ ⑩ / ① ① ① ① ① ① ①

$\boxed{} - 14 = \boxed{}$

⑩ ⑩ ⑩ / ① ① ① ① ① ① ① ①

$38 - \boxed{} = 24$

⑩ ⑩ ⑩ ⑩ ⑩ ⑩ ⑩ / ① ① ① ① ①

$\boxed{} - 41 = \boxed{}$

⑩ ⑩ ⑩ ⑩ ⑩ ⑩ / ① ① ① ①

$64 - \boxed{} = 31$

⑩ ⑩ ⑩ ⑩ ⑩ ⑩ ⑩ ⑩ / ① ① ①

$\boxed{} - 32 = \boxed{}$

$68-\square=44$ $\square-12=15$ $36-\square=23$

$46-\square=25$ $\square-33=42$ $68-\square=25$

$89-\square=37$ $\square-14=20$ $43-\square=11$

$57-\square=16$ $\square-31=62$ $76-\square=53$

$\begin{array}{r} 73 \\ -\ \square \\ \hline 61 \end{array}$ $\begin{array}{r} 49 \\ -\ \square \\ \hline 23 \end{array}$ $\begin{array}{r} 32 \\ -\ \square \\ \hline 22 \end{array}$ $\begin{array}{r} 65 \\ -\ \square \\ \hline 24 \end{array}$

$\begin{array}{r} \square \\ -\ 52 \\ \hline 44 \end{array}$ $\begin{array}{r} \square \\ -\ 13 \\ \hline 11 \end{array}$ $\begin{array}{r} \square \\ -\ 35 \\ \hline 52 \end{array}$ $\begin{array}{r} \square \\ -\ 26 \\ \hline 32 \end{array}$

1 계산에 맞게 선을 그으세요.

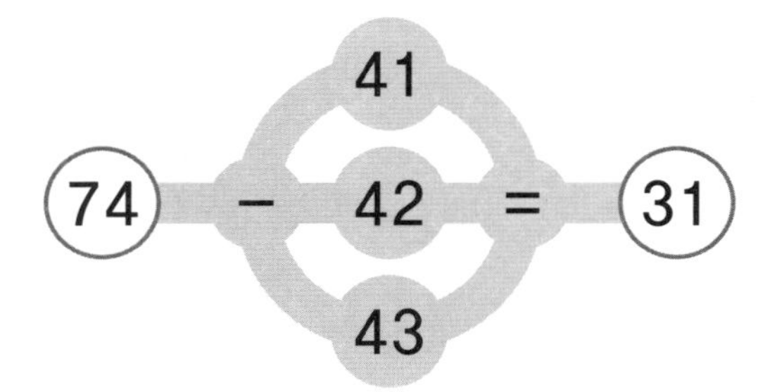

68 − 14 / 24 / 22 = 54

2 빈칸에 알맞은 수를 쓰세요.

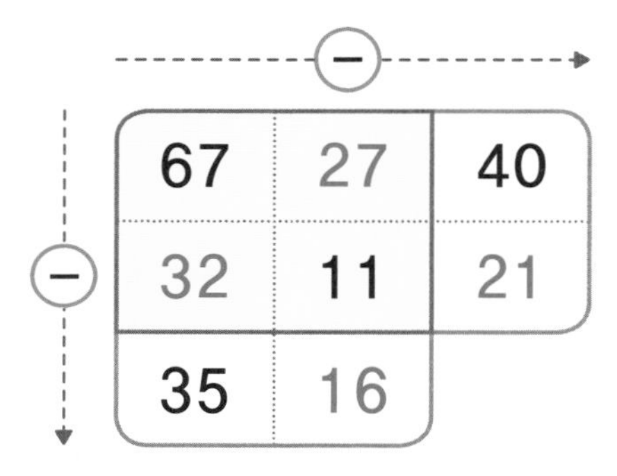

	51	
		43
21	30	

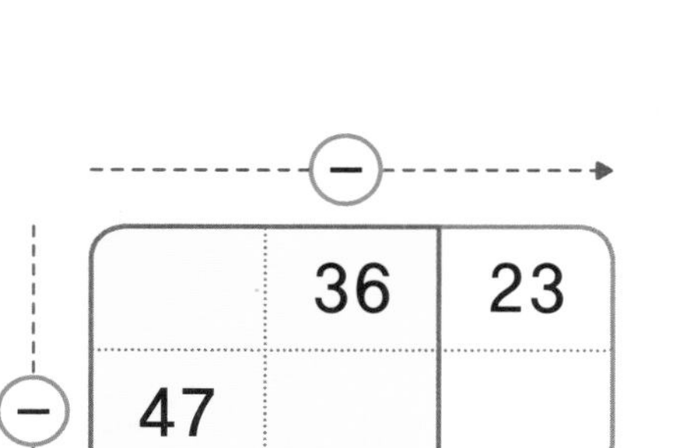

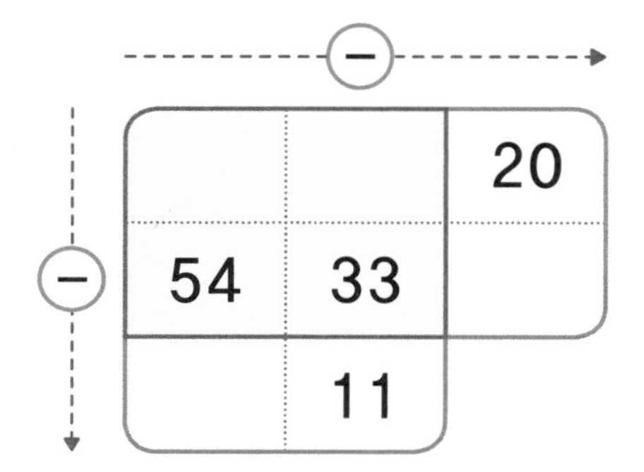

3 다음과 같이 밑줄 친 곳에 알맞게 쓰고, 어떤 수를 구하세요.

68에서 어떤 수를 뺀 수는 65보다 13 작은 수입니다.
68 −□ 52
68−□=52 □= 16

75에서 어떤 수를 뺀 수는 58보다 15 작은 수입니다.

□=

어떤 수에서 25를 뺀 수는 49보다 28 작은 수입니다.

□=

4 밑줄 친 몇을 □라 하여 식을 세우고 □의 값을 구하세요.

연필이 38자루 있습니다. 동생에게 몇 자루 주었더니 17자루가 남았습니다.
□

식 □=

색종이가 몇 장 있습니다. 친구에게 35장 주었더니 52장이 남았습니다.
□

식 □=

차가 되는 두 수 찾기

차에 맞게 두 수를 찾아 뺄셈식을 완성하여 봅시다.

22 34 46 53

53 − 22 = 31

46 − 34 = 12

차가 31인 두 수를 찾으려면 먼저 일의 자리 숫자의 차가 1인 두 수를 찾습니다.

41 14 37 11

□ − □ = 30

□ − □ = 23

22 49 74 21

□ − □ = 28

□ − □ = 52

26 58 15 24

□ − □ = 11

□ − □ = 34

35 14 49 31

□ − □ = 21

□ − □ = 18

21 42 65

42 − 21 = 21

□ − □ = 44

□ − □ = 23

42 53 84

□ − □ = 31

□ − □ = 42

□ − □ = 11

33 44 58

□ − □ = 25

□ − □ = 11

□ − □ = 14

23 34 66

□ − □ = 11

□ − □ = 43

□ − □ = 32

76 54 42

□ − □ = 22

□ − □ = 12

□ − □ = 34

96 51 75

□ − □ = 45

□ − □ = 21

□ − □ = 24

1 선으로 이어진 두 수의 차를 구하세요.

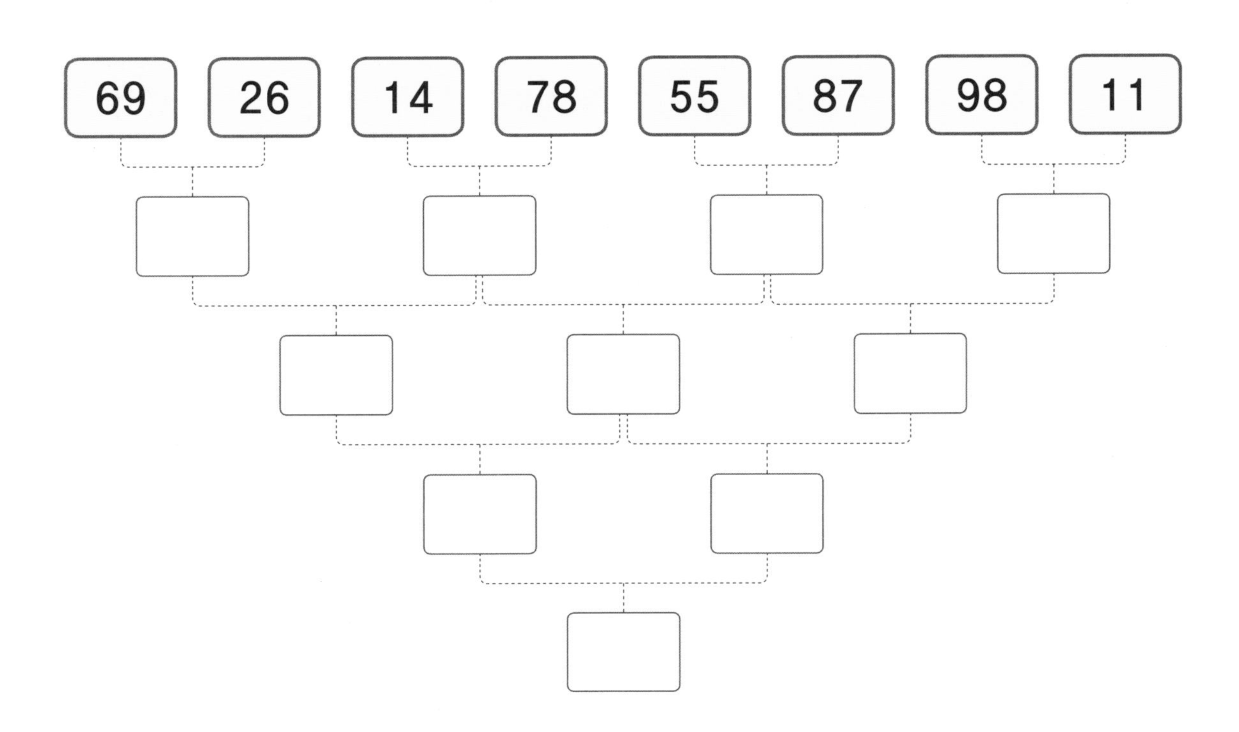

2 차가 가운데 수가 되는 두 수를 찾아 색칠하고 뺄셈식을 완성하세요.

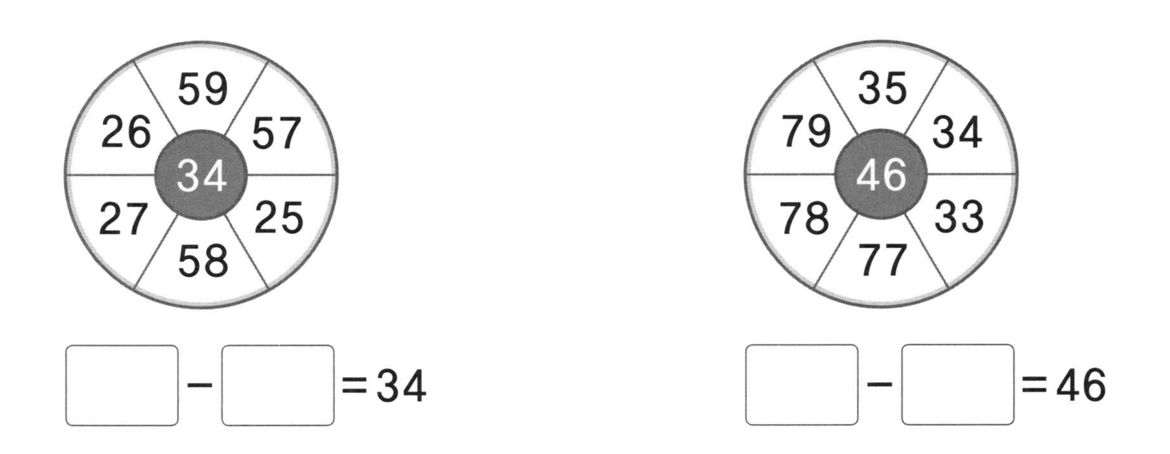

3 일의 자리 숫자가 6인 두 자리 수와 십의 자리 숫자가 4인 두 자리 수가 있습니다. 이 두 수의 차가 41일 때 두 수를 각각 구하세요.

□6　4□

두 수: □, □

4 알맞은 말에 ○표 하고, 식을 완성하세요.

송아지가 48마리, 염소가 59마리 있습니다.
(송아지 , 염소)는 (송아지 , 염소)보다 몇 마리 더 많을까요?

식 □ − □ = □　답 □ 마리

남학생이 38명, 여학생이 25명 있습니다.
(남학생 , 여학생)은 (남학생 , 여학생)보다 몇 명 더 많을까요?

식 □ − □ = □　답 □ 명

토마토는 21개, 복숭아는 47개 있습니다.
(토마토 , 복숭아)는 (토마토 , 복숭아)보다 몇 개 더 많을까요?

식 □ − □ = □　답 □ 개

형성평가

1 뺄셈에 맞게 알맞게 선을 이으세요.

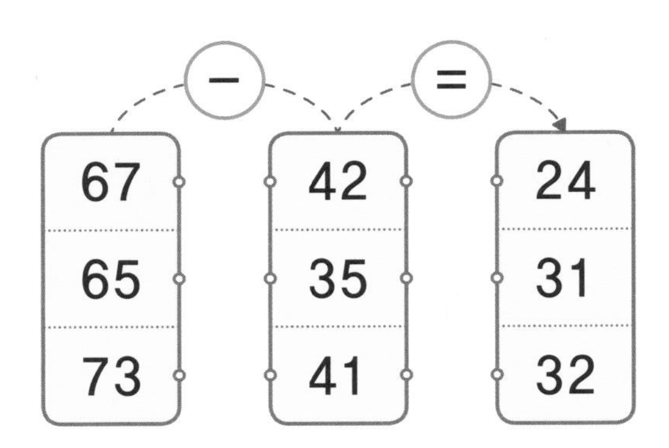

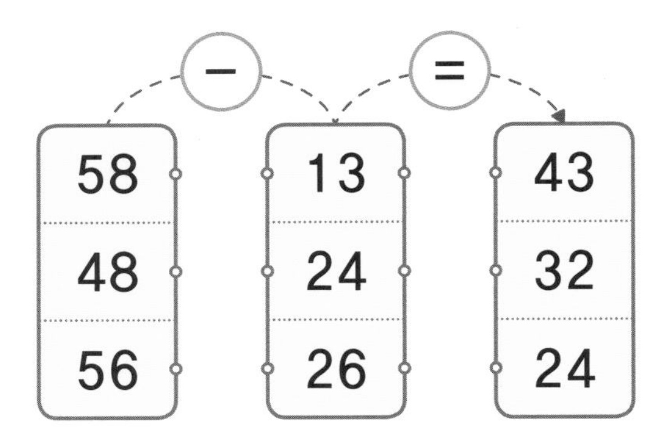

2 동물원에 여우가 63마리, 너구리가 42마리 있습니다. 여우는 너구리보다 몇 마리 더 많을까요?

식 ☐ − ☐ = ☐　　답 ☐ 마리

3 주어진 수를 모두 사용하여 뺄셈식을 완성하세요.

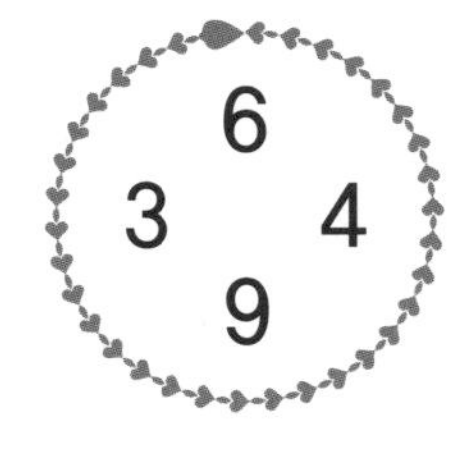

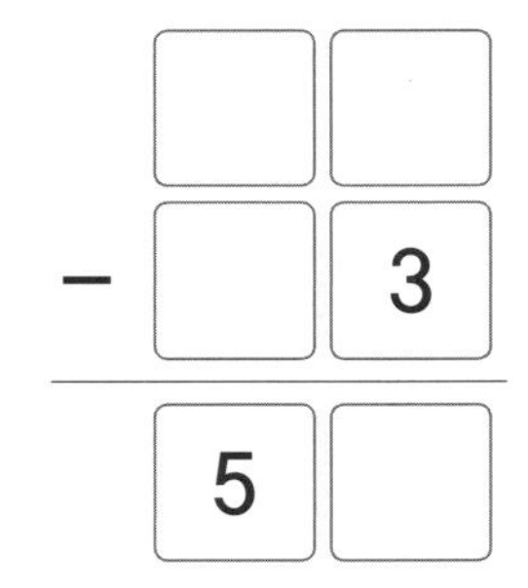

4 하영이네 학교의 학생 수는 78명입니다.
그중에서 남학생은 41명입니다. 여학생은 몇 명일까요?

식

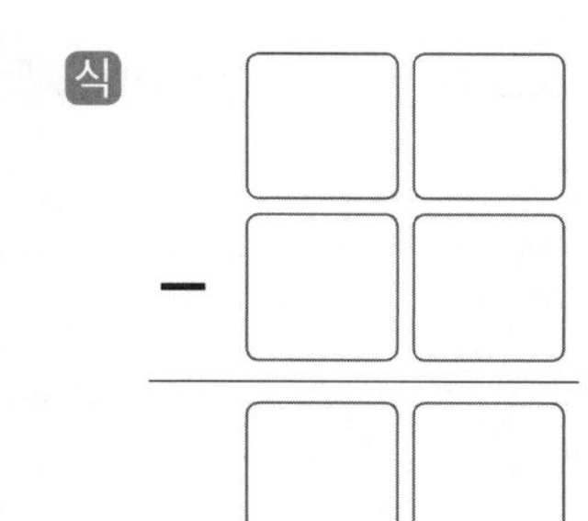

답 ☐ 명

5 빈칸에 알맞은 수를 쓰세요.

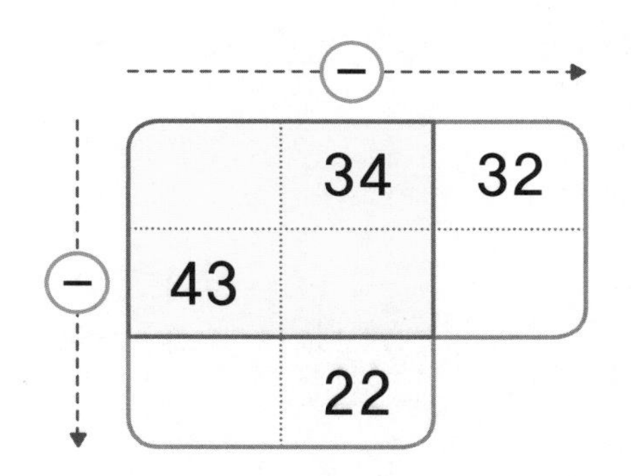

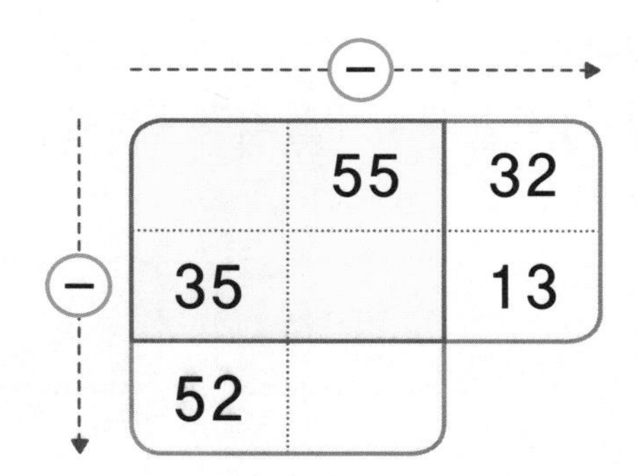

6 밑줄 친 몇을 ☐라 하여 식을 세우고 ☐의 값을 구하세요.

동화책이 57권 있습니다. 도서관에 몇 권을 기부하였더니 23권이 남았습니다.

식 ____________ ☐= ________ 권

7 주어진 수를 사용하여 계산 결과에 맞게 □ 안에 알맞은 수를 쓰세요.

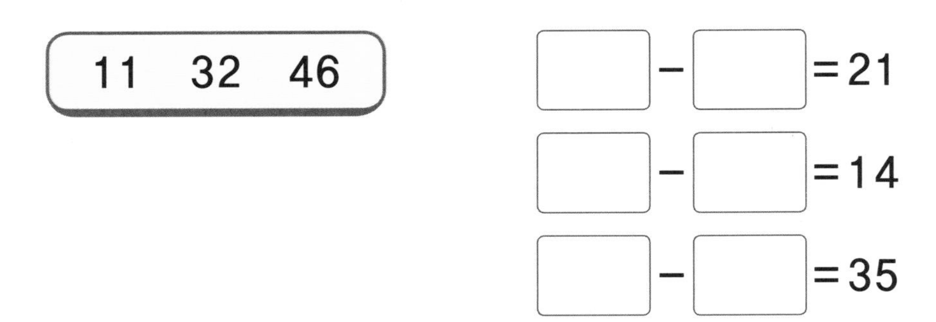

8 일의 자리 숫자가 8인 두 자리 수와 십의 자리 숫자가 3인 두 자리 수가 있습니다. 이 두 수의 차가 26일 때 두 수를 각각 구하세요.

9 알맞은 말에 ○표 하고, 식을 완성하세요.

색연필은 36개, 크레파스는 48개 있습니다.
(색연필 , 크레파스)는 (색연필 , 크레파스)보다 몇 개 더 많을까요?

식 □ − □ = □ 답 □ 개

3주차

덧셈과 뺄셈

받아올림 없는 덧셈과 받아내림 없는 뺄셈의 혼합

덧셈과 뺄셈

그림을 보고 덧셈식과 뺄셈식을 써 봅시다.

65+21=86

65에 21을 더해서 86이 되었습니다.

76−44=32

76에서 44를 뺐더니 32가 남았습니다.

$43+25=\square$

$73-52=\square$

$23+52=\square$

$68-36=\square$

$28+61=\square$

$78-61=\square$

$52+26=\square$

$85-43=\square$

$34+35=\square$

$36-12=\square$

$15+42=\square$

$63-42=\square$

$$\begin{array}{r} 4\ 6 \\ +\ 3\ 2 \\ \hline \square \end{array}$$

$$\begin{array}{r} 7\ 4 \\ -\ 4\ 1 \\ \hline \square \end{array}$$

$$\begin{array}{r} 5\ 4 \\ +\ 3\ 4 \\ \hline \square \end{array}$$

$$\begin{array}{r} 5\ 6 \\ -\ 1\ 3 \\ \hline \square \end{array}$$

$$\begin{array}{r} 2\ 6 \\ +\ 4\ 3 \\ \hline \square \end{array}$$

$$\begin{array}{r} 7\ 4 \\ -\ 2\ 3 \\ \hline \square \end{array}$$

1 계산을 한 다음 알맞게 선으로 이으세요.

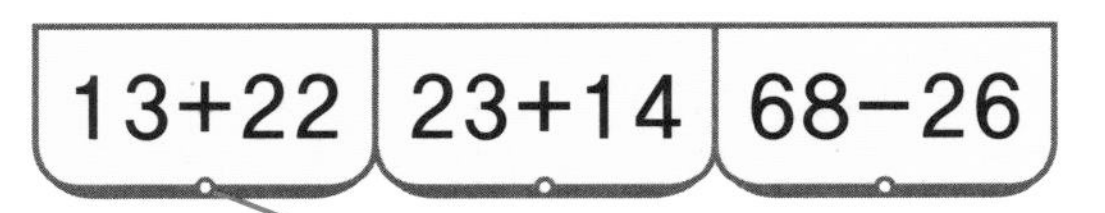

59−23	34+15	74−31
49	43	36

54+21	79−14	35+32
67	75	65

86−42	68−34	21+33
44	54	34

2 덧셈, 뺄셈을 하여 빈칸에 알맞은 수를 쓰세요.

36 → (+23) → □ → (−17) → □ → (+45) → □

79 → (−35) → □ → (+52) → □ → (−73) → □

3 주어진 수를 이용하여 덧셈식 2개와 뺄셈식 2개를 만드세요.

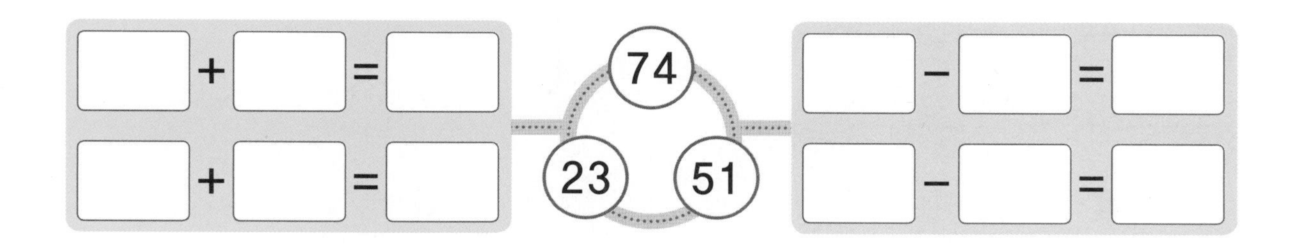

4 오른쪽은 꽃 가게에 있는 꽃의 수입니다. 알맞은 것끼리 선으로 연결하고 □ 안에 알맞은 수를 쓰세요.

종류	장미	백합	튤립
꽃의 수	56	21	43

장미는 백합보다 몇 송이 더 많을까요?

백합과 튤립은 모두 몇 송이일까요?

튤립은 백합보다 몇 송이 더 많을까요?

장미와 튤립은 모두 몇 송이일까요?

$21 + 43 =$ □

$43 - 21 =$ □

$56 + 43 =$ □

$56 - 21 =$ □

□가 있는 덧셈과 뺄셈

□ 안에 알맞은 수를 넣고, 식을 완성하여 봅시다.

44	33
77	

$44 + \boxed{33} = 77$

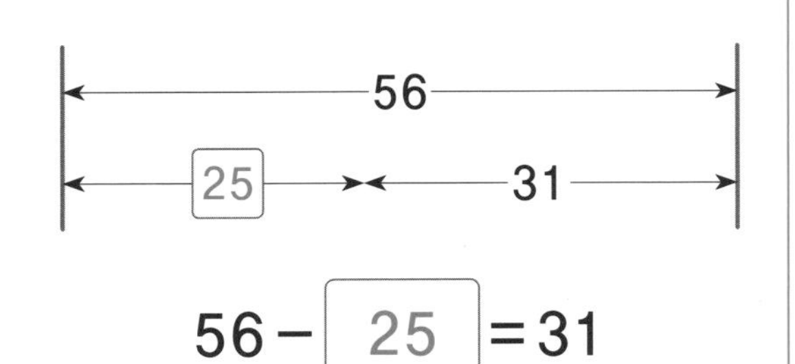

$56 - \boxed{25} = 31$

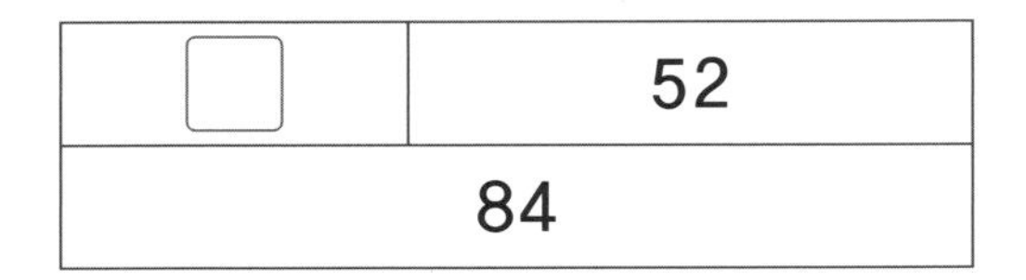

$\boxed{} + 52 = 84$

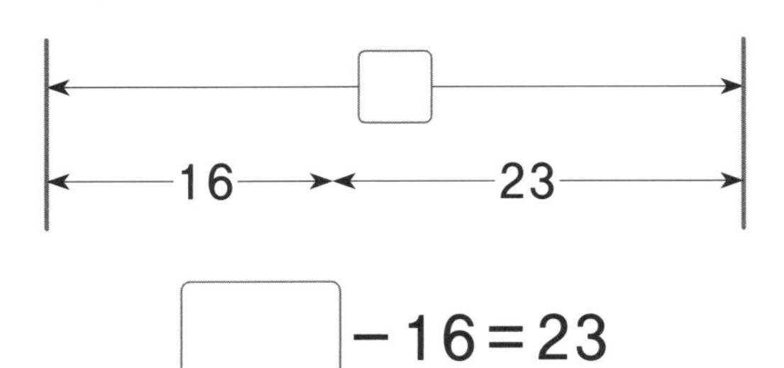

$\boxed{} - 16 = 23$

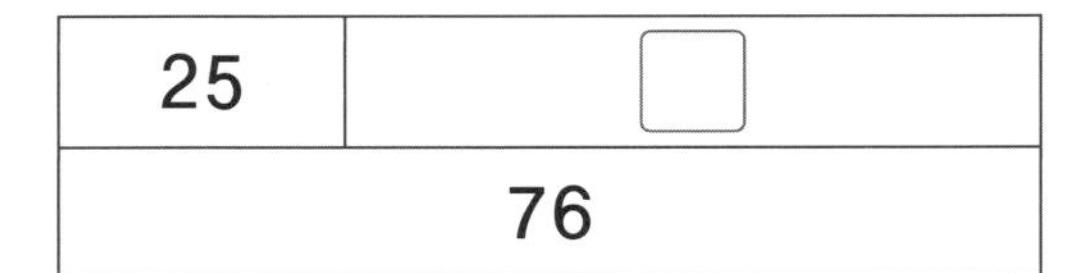

$25 + \boxed{} = 76$

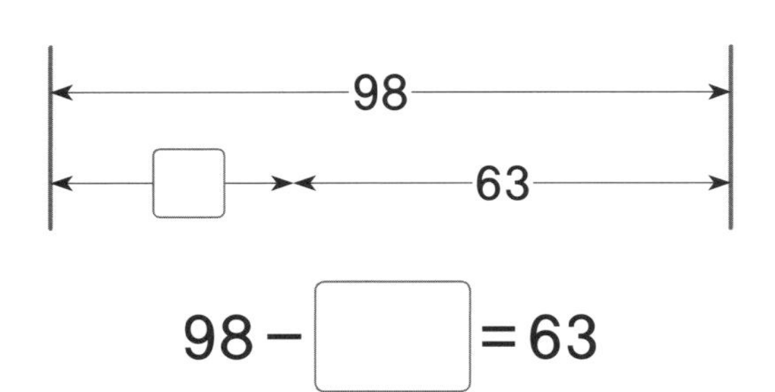

$98 - \boxed{} = 63$

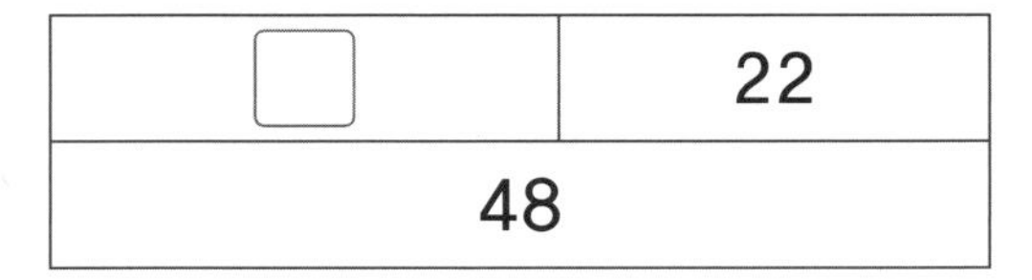

$\boxed{} + 22 = 48$

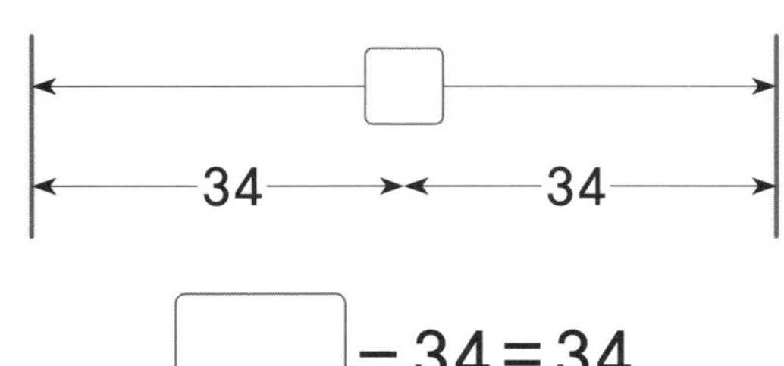

$\boxed{} - 34 = 34$

$\square + 13 = 56$ $64 - \square = 33$ $\square + 24 = 76$

$\square - 42 = 34$ $52 + \square = 88$ $\square - 36 = 32$

$\square + 53 = 78$ $87 - \square = 45$ $\square + 62 = 97$

$\square - 52 = 41$ $35 + \square = 69$ $\square - 23 = 45$

$$\begin{array}{r} 3\ 6 \\ +\ \square \\ \hline 7\ 9 \end{array} \quad \begin{array}{r} 6\ 8 \\ -\ \square \\ \hline 3\ 2 \end{array} \quad \begin{array}{r} 4\ 5 \\ +\ \square \\ \hline 8\ 7 \end{array}$$

$$\begin{array}{r} \square \\ -\ 2\ 2 \\ \hline 5\ 4 \end{array} \quad \begin{array}{r} \square \\ +\ 3\ 1 \\ \hline 9\ 9 \end{array} \quad \begin{array}{r} \square \\ -\ 7\ 3 \\ \hline 1\ 6 \end{array}$$

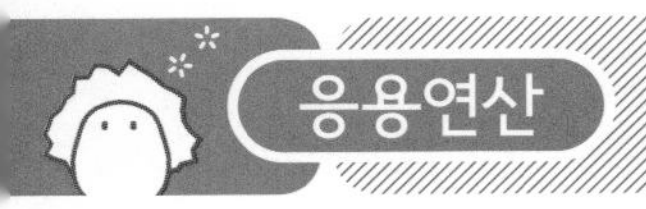

1 다음 모양이 나타내는 수를 구하세요.

67 − ◆ = 26
◆ = 41

37 + ♥ = 89
♥ = □

♠ + 30 = 65
♠ = □

♣ − 23 = 46
♣ = □

2 같은 모양은 같은 수를 나타냅니다. □ 안에 알맞은 수를 쓰세요.

99 − ■ = 54
■ + 12 = 57

34 + ● = 75
87 − ● = □

⬟ + 17 = 48
76 − ⬟ = □

▲ − 25 = 62
▲ + 11 = □

78 − ★ = 25
★ + 32 = □

55 + ⬢ = 66
98 − ⬢ = □

3 어떤 수를 구하고 바르게 계산한 것을 찾아 선으로 이으세요.

잘못한 계산	어떤 수 구하기	바르게 계산하기
어떤 수에 22를 더할 것을 잘못하여 뺐더니 12입니다.	$\square-22=12$ $\square=34$	$56-13=43$
36에서 어떤 수를 뺄 것을 잘못하여 더했더니 56입니다.	$\square+13=69$ $\square=56$	$36-20=16$
어떤 수에서 13을 뺄 것을 잘못하여 더했더니 69입니다.	$36+\square=56$ $\square=20$	$34+22=56$

4 밑줄 친 몇을 $\square$라 하여 식을 세우고 답을 구하세요.

농장에 돼지 48마리가 있습니다. 몇 마리를 팔았더니 33마리가 남았습니다. 판 돼지는 몇 마리일까요?

식 ______________ 답 ________ 마리

운동장에 몇 명이 있습니다. 잠시 후 12명이 더 와서 59명이 되었습니다. 처음에 운동장에는 몇 명 있었을까요?

식 ______________ 답 ________ 명

3일

123 합과 차

두 수의 합과 차를 구해 봅시다.

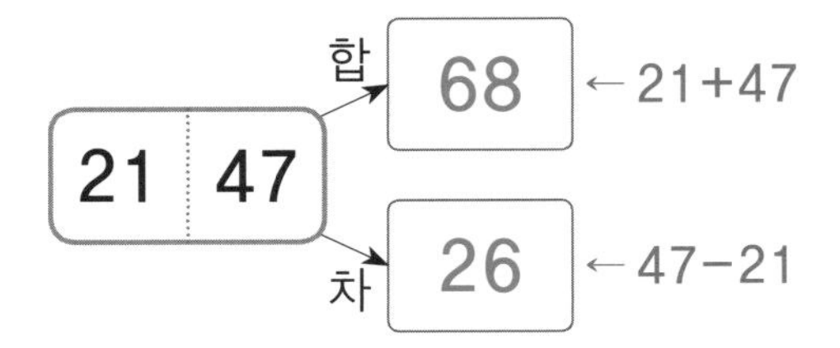

21과 47의 합은 21+47=68이고
21과 47의 차는 47−21=26입니다.
차를 구할 때는 큰 수에서 작은 수를 뺍니다.

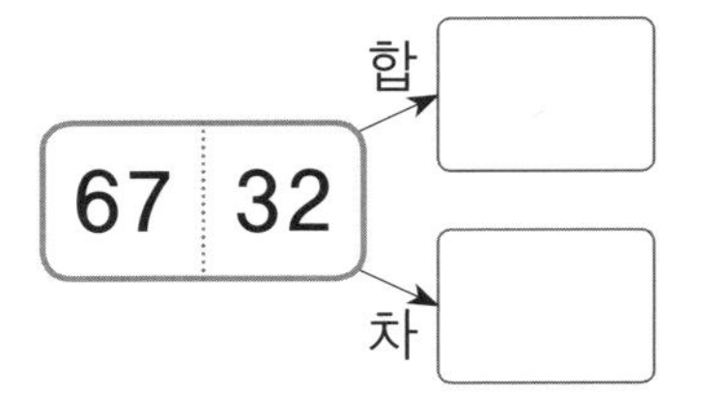

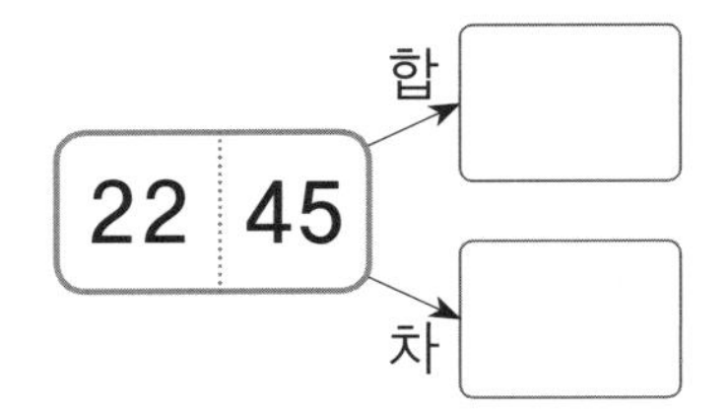

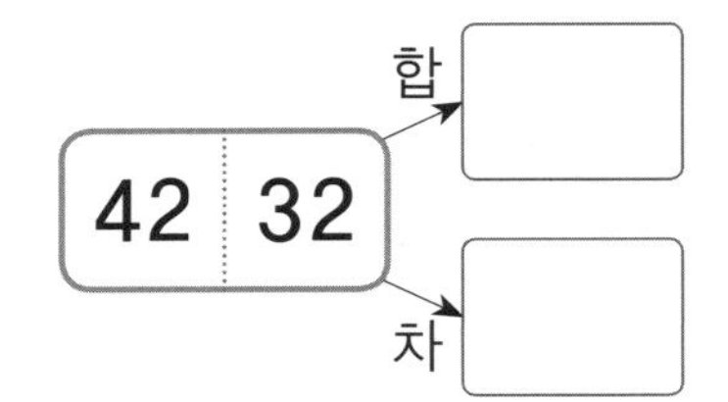

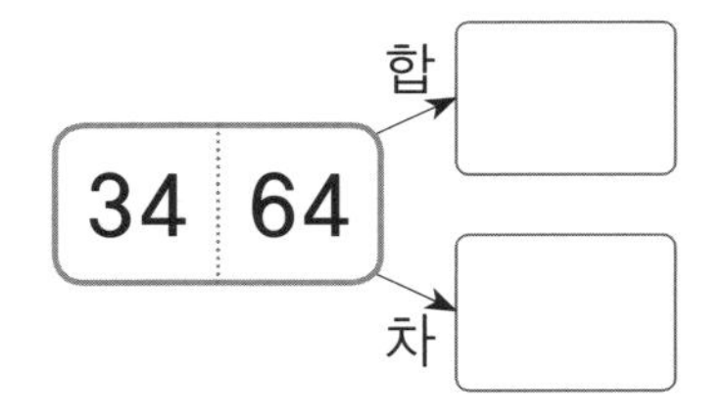

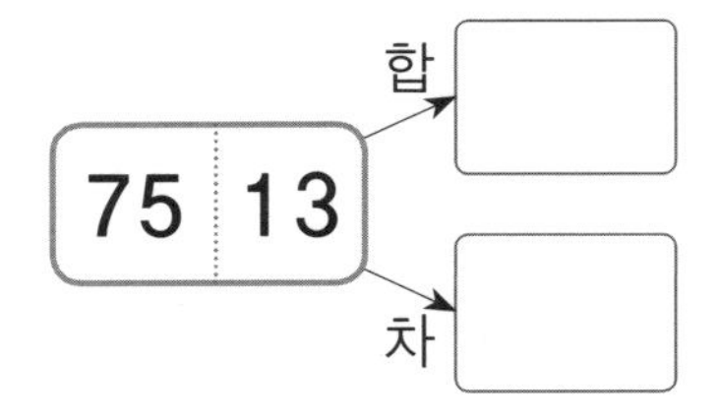

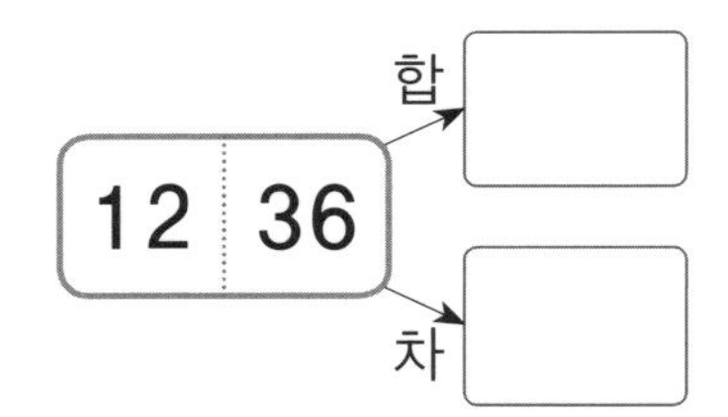

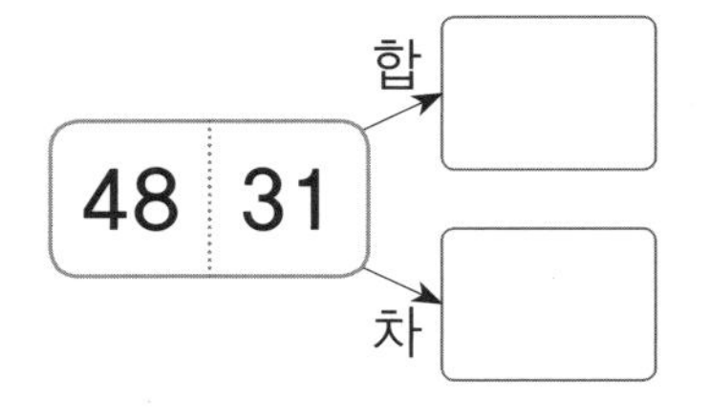

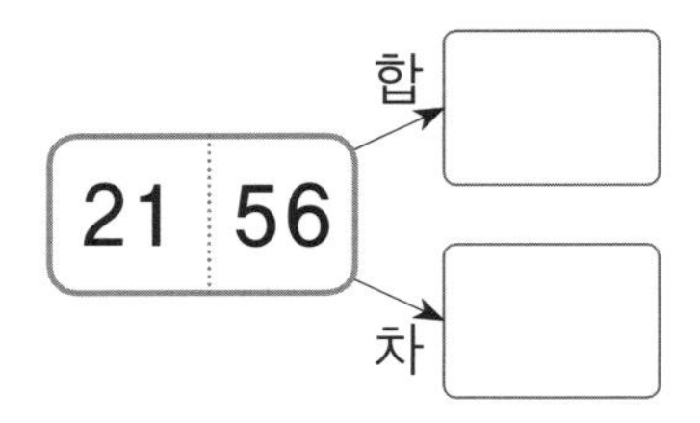

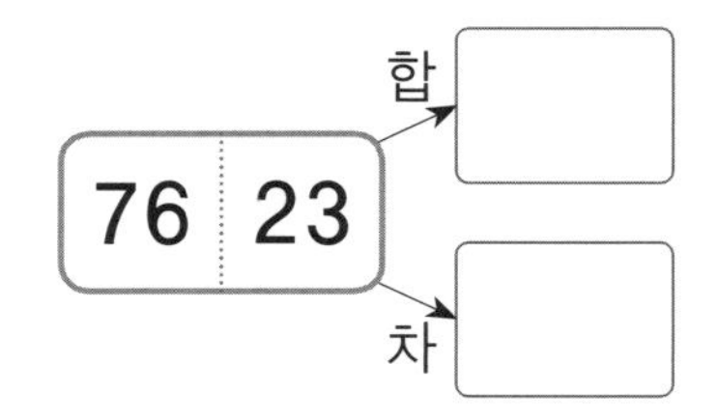

$68 - 24$ (=) $20 + 24$

$25 + 63$ ◯ $99 - 15$

$87 - 15$ ◯ $34 + 42$

$73 - 31$ ◯ $31 + 11$

$23 + 26$ ◯ $88 - 42$

$25 + 13$ ◯ $57 - 21$

$25 + 32 =$ [69] $- 12$

$53 +$ □ $= 99 - 13$

$45 + 12 =$ □ $- 32$

$11 +$ □ $= 67 - 35$

$31 + 32 = 87 -$ □

□ $+ 33 = 69 - 21$

$15 + 31 = 59 -$ □

□ $+ 12 = 78 - 44$

1 왼쪽은 두 수의 합, 오른쪽은 두 수의 차입니다. 두 수를 찾아 모두 ○표 하세요.

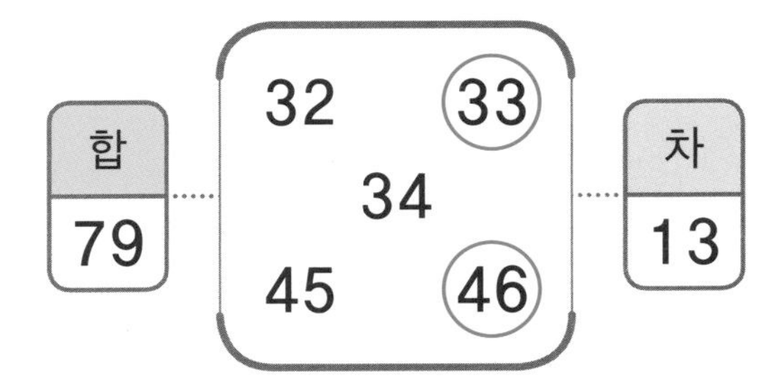

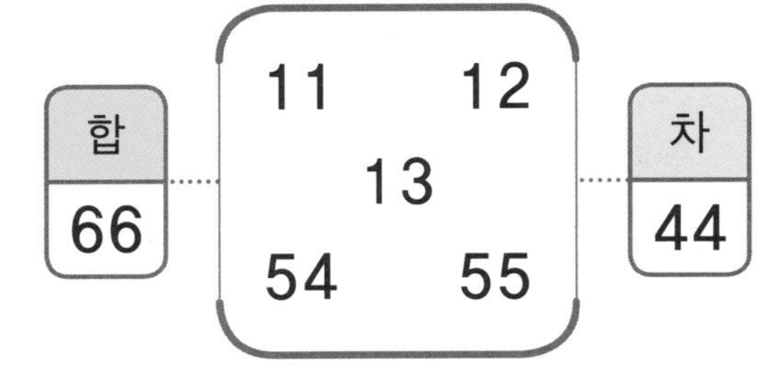

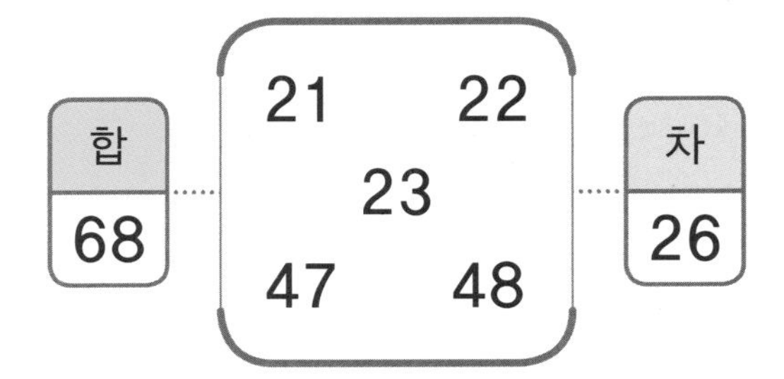

합 46 | 34 11 12 13 35 | 차 24

2 같은 모양 안에는 같은 수가 들어갑니다. 덧셈식과 뺄셈식에 맞게 수 카드의 수를 골라 쓰세요.

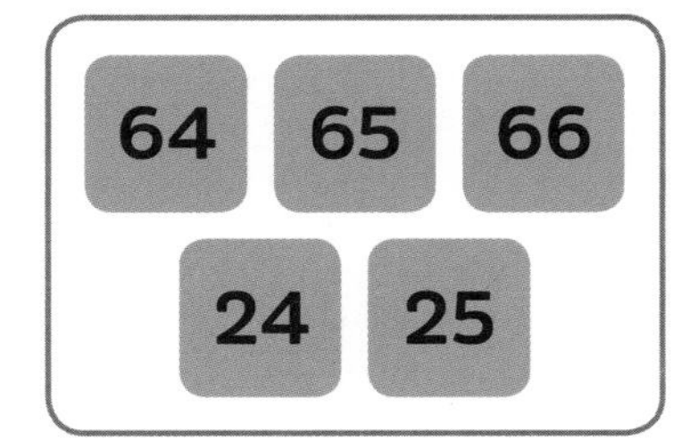

$\boxed{65} + \bigcirc = 89$

$\boxed{65} - \bigcirc = 41$

46 47 48 11 12

$\square + \bigcirc = 57$

$\square - \bigcirc = 35$

3 다음을 보고, 물음에 맞게 식과 답을 구하세요.

학급문고에 동화책이 32권, 위인전이 47권 있습니다.

동화책과 위인전은 모두 몇 권일까요?

식 ______________ 답 ________ 권

위인전은 동화책보다 몇 권 더 많을까요?

식 ______________ 답 ________ 권

기차 안에는 어른이 54명, 어린이가 22명 타고 있습니다.

어른과 어린이는 모두 몇 명일까요?

식 ______________ 답 ________ 명

어른은 어린이보다 몇 명 더 많을까요?

식 ______________ 답 ________ 명

4일

124 숫자 카드 덧셈과 뺄셈

개념원리

숫자 카드를 한 번씩 써서 만든 가장 큰 두 자리 수와 가장 작은 두 자리 수의 합과 차를 구해 봅시다.

5 2 6 3

가장 큰 두 자리 수: 65

가장 작은 두 자리 수: 23

두 수의 합

$$\begin{array}{r} 65 \\ +\ 23 \\ \hline 88 \end{array}$$

두 수의 차

$$\begin{array}{r} 65 \\ -\ 23 \\ \hline 42 \end{array}$$

7 3 6 1

가장 큰 두 자리 수: ☐

가장 작은 두 자리 수: ☐

두 수의 합

$$\begin{array}{r} \square\square \\ +\ \square\square \\ \hline \square\square \end{array}$$

두 수의 차

$$\begin{array}{r} \square\square \\ -\ \square\square \\ \hline \square\square \end{array}$$

8 1 4 5

가장 큰 두 자리 수: ☐

가장 작은 두 자리 수: ☐

두 수의 합

$$\begin{array}{r} \square\square \\ +\ \square\square \\ \hline \square\square \end{array}$$

두 수의 차

$$\begin{array}{r} \square\square \\ -\ \square\square \\ \hline \square\square \end{array}$$

숫자 카드를 한 번씩 사용하여
만든 가장 큰 두 자리 수와
가장 작은 두 자리 수의 합과 차를
구하는 식을 쓰세요.

2 1 6 5

합: 65+12=77

차:

5 3 2 4

합:

차:

1 5 7 4

합:

차:

4 7 1 2

합:

차:

합:

차:

1 숫자 카드를 한 번씩 사용하여 식을 완성하세요.

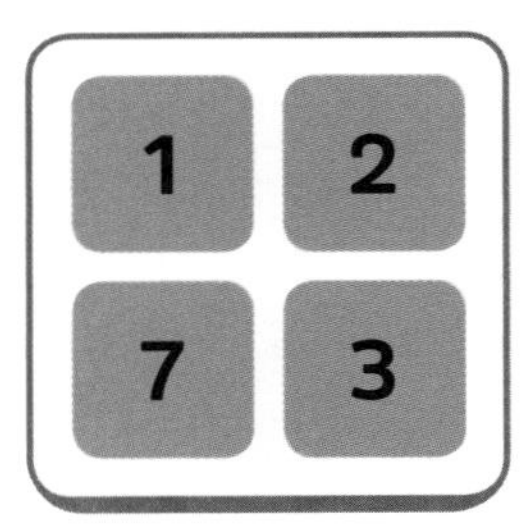

$37 - 12 = 25$

$\square\square + \square\square = 85$

$\square\square - \square\square = 61$

$\square\square + \square\square = 59$

$\square\square - \square\square = 31$

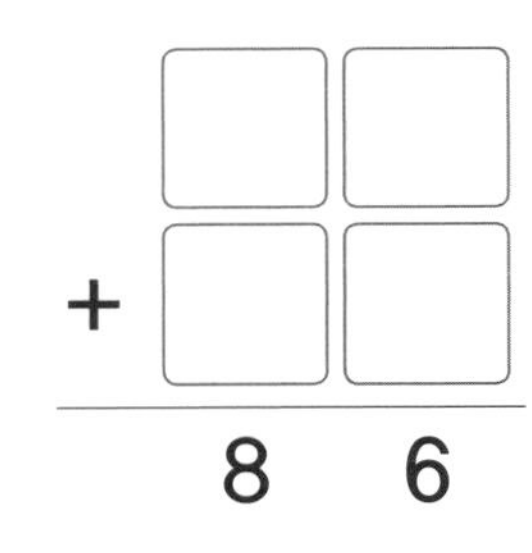

8 4
1 3

$\square\square - \square\square = 71$

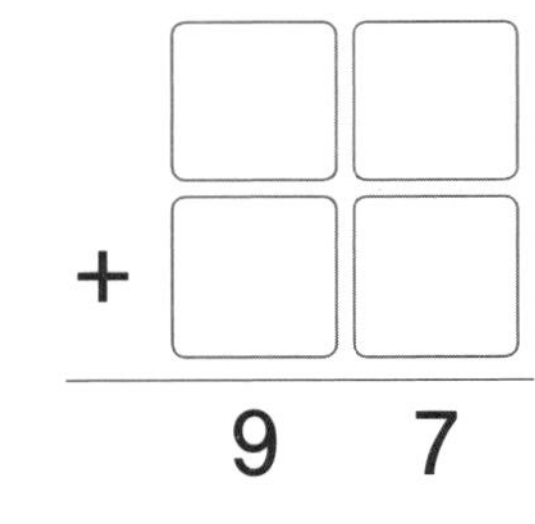

$\square\square - \square\square = 35$

6 2
4 5

$\square\square + \square\square = 98$

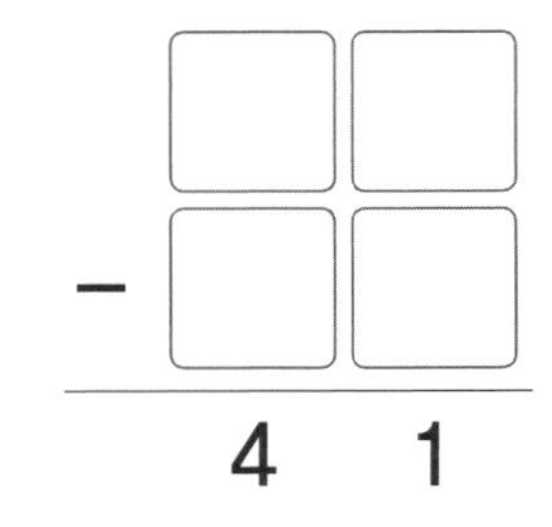

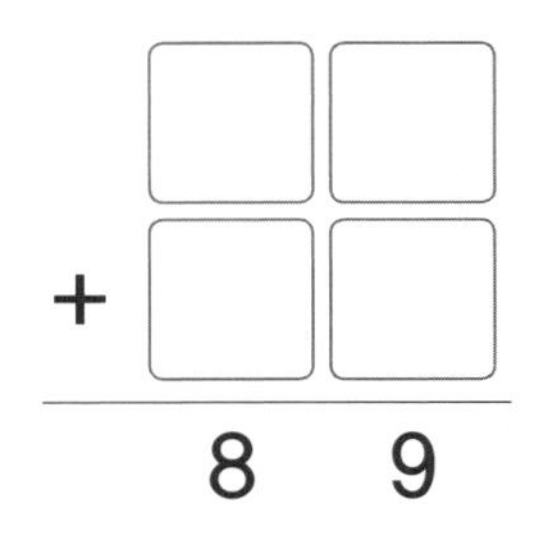

2 다음 문장에 맞게 □ 안에 알맞은 수를 쓰고 두 수를 구하세요.

십의 자리 숫자가 7인 두 자리 수에서 일의 자리 숫자가 1인 두 자리 수를 빼면 45입니다.

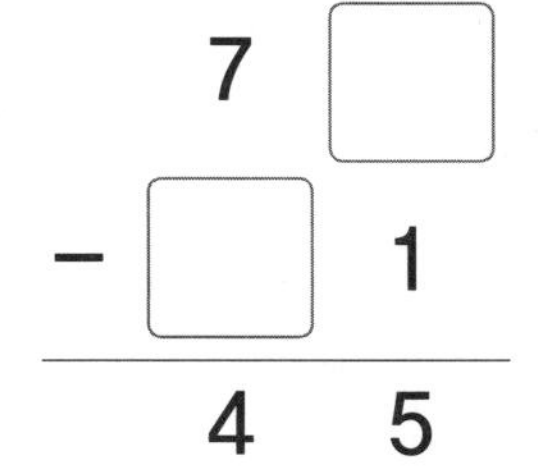

두 수: □, □

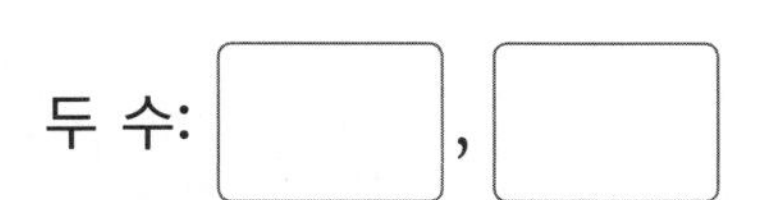

일의 자리 숫자가 5인 두 자리 수에 십의 자리 숫자가 2인 두 자리 수를 더하면 78입니다.

□ 5
+ 2 □
7 8

두 수: □, □

3 숫자 카드를 보고, 물음에 답하세요.

숫자 카드로 만든 두 자리 수 중 일의 자리 숫자가 5인 가장 큰 수와 십의 자리 숫자가 2인 가장 작은 수의 합은 얼마일까요?

□

숫자 카드로 만든 두 자리 수 중 십의 자리 숫자가 6인 가장 큰 수와 일의 자리 숫자가 5인 가장 작은 수의 차는 얼마일까요?

□

형성평가

1 계산을 한 다음 알맞게 선으로 이으세요.

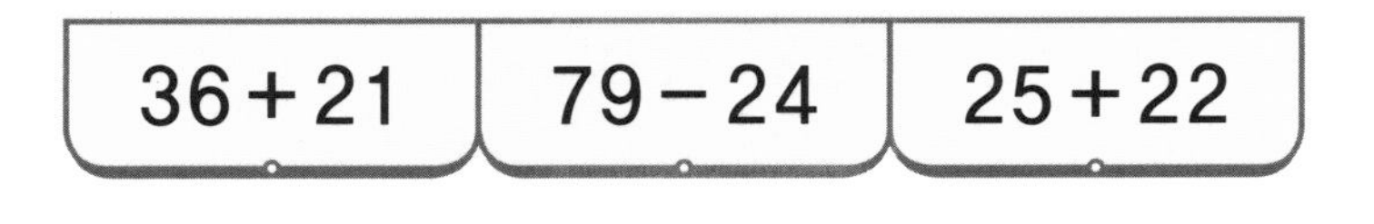

2 주어진 수를 이용하여 덧셈식 2개와 뺄셈식 2개를 만드세요.

56, 24, 32

$\square + \square = \square$　　$\square - \square = \square$

$\square + \square = \square$　　$\square - \square = \square$

3 같은 모양은 같은 수를 나타냅니다. □ 안에 알맞은 수를 쓰세요.

34 + ◆ = 79　　　　♥ − 26 = 32

43 + ◆ = □　　　　41 + ♥ = □

4 밑줄 친 몇을 □라 하여 식을 세우고 답을 구하세요.

수족관에 몇 명이 줄을 서 있습니다. 먼저 35명이 입장하였더니 23명이 남았습니다. 처음 수족관에는 몇 명이 줄을 서 있었을까요?

5 왼쪽은 두 수의 합, 오른쪽은 두 수의 차입니다. 두 수를 찾아 모두 ○표 하세요.

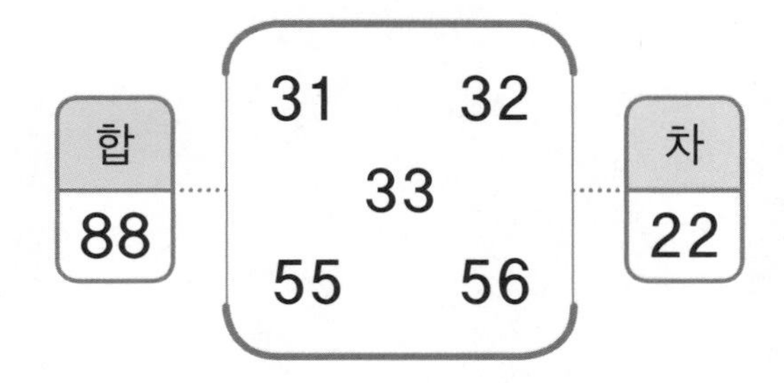

6 기차 안에는 어른이 54명, 어린이가 22명 타고 있습니다. 물음에 맞게 식과 답을 구하세요.

어른과 어린이는 모두 몇 명일까요?

식 ______________ 답 ________ 명

어른은 어린이보다 몇 명 많을까요?

식 ______________ 답 ________ 명

7 숫자 카드를 한 번씩 사용하여 만든 가장 큰 두 자리 수와 가장 작은 두 자리 수의 합과 차를 구하는 식과 답을 쓰세요.

합: ____________________

차: ____________________

8 숫자 카드를 한 번씩 사용하여 식을 완성하세요.

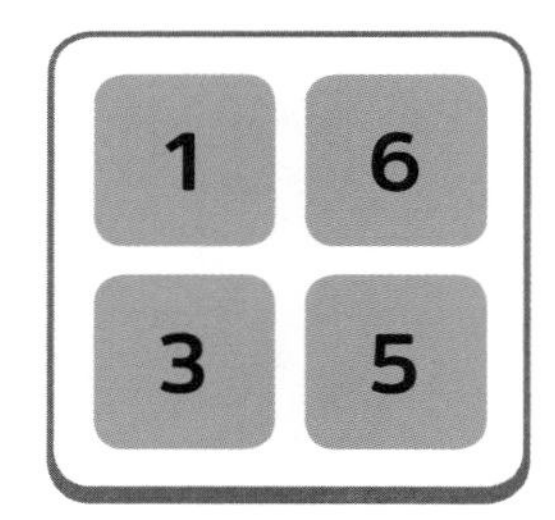

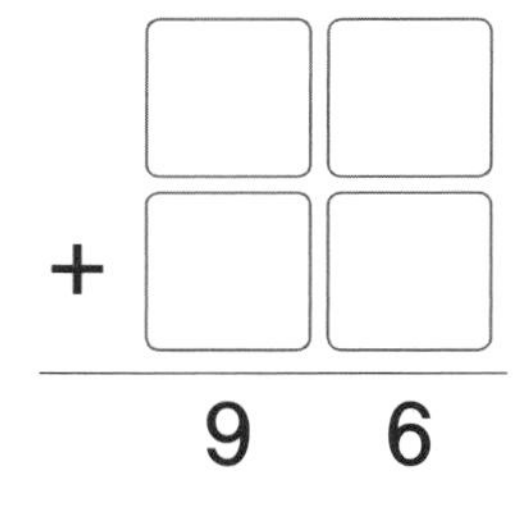

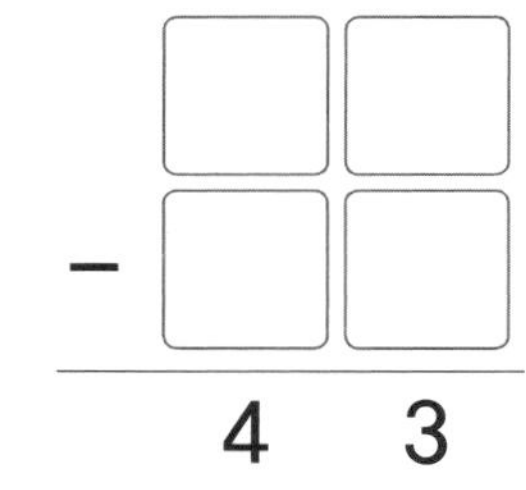

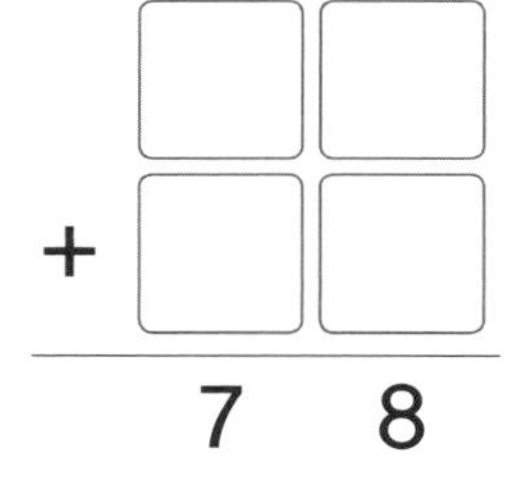

9 십의 자리 숫자가 9인 두 자리 수에서 일의 자리 숫자가 4인 두 자리 수를 빼면 23입니다. □ 안에 알맞은 수를 쓰고 두 수를 구하세요.

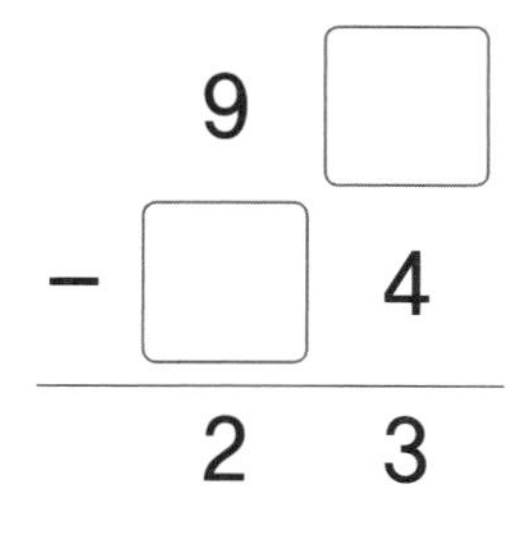

두 수: □, □

4주차

세 수의 계산

덧셈과 뺄셈이 혼합된 세 수의 계산

125 세 수의 합

개념원리

계산을 하여 □ 안에 알맞은 수를 써 봅시다.

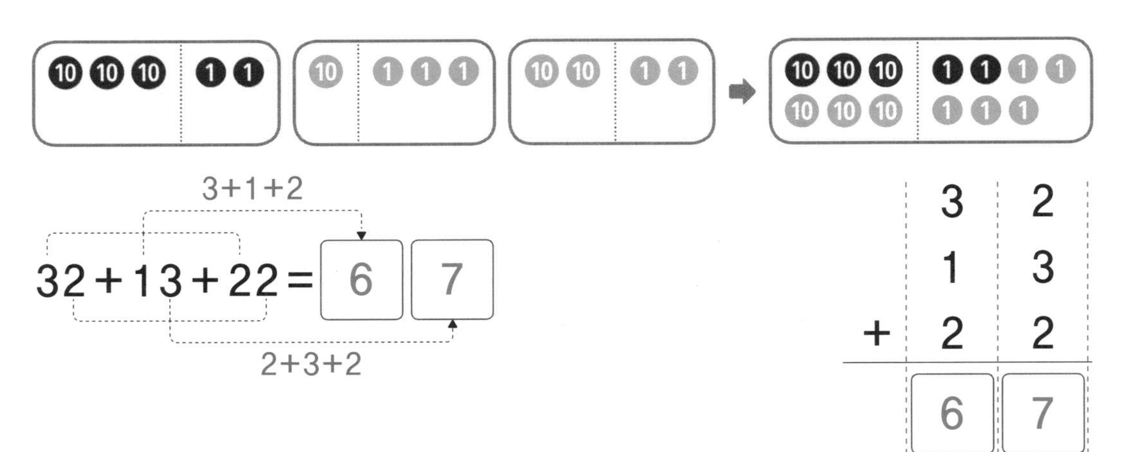

51+12+34=□□

17+21+31=□□

23+31+14=□□

13+22+11=□□

	4	2
	2	1
+	3	2
	□	□

	2	4
	3	1
+	1	2
	□	□

	2	3
	3	4
+	2	2
	□	□

$45+31+12=\square$

$51+22+13=\square$

$21+24+32=\square$

$22+34+23=\square$

$61+15+21=\square$

$23+42+24=\square$

$42+23+31=\square$

$31+16+31=\square$

$$\begin{array}{r} 42 \\ 23 \\ +\ 12 \\ \hline \square \end{array}$$

$$\begin{array}{r} 32 \\ 14 \\ +\ 21 \\ \hline \square \end{array}$$

$$\begin{array}{r} 52 \\ 24 \\ +\ 23 \\ \hline \square \end{array}$$

$$\begin{array}{r} 62 \\ 15 \\ +\ 21 \\ \hline \square \end{array}$$

$$\begin{array}{r} 21 \\ 43 \\ +\ 12 \\ \hline \square \end{array}$$

$$\begin{array}{r} 11 \\ 30 \\ +\ 24 \\ \hline \square \end{array}$$

1 연결된 세 수의 합이 ☆ 안의 수가 되도록 삼각형을 그리세요.

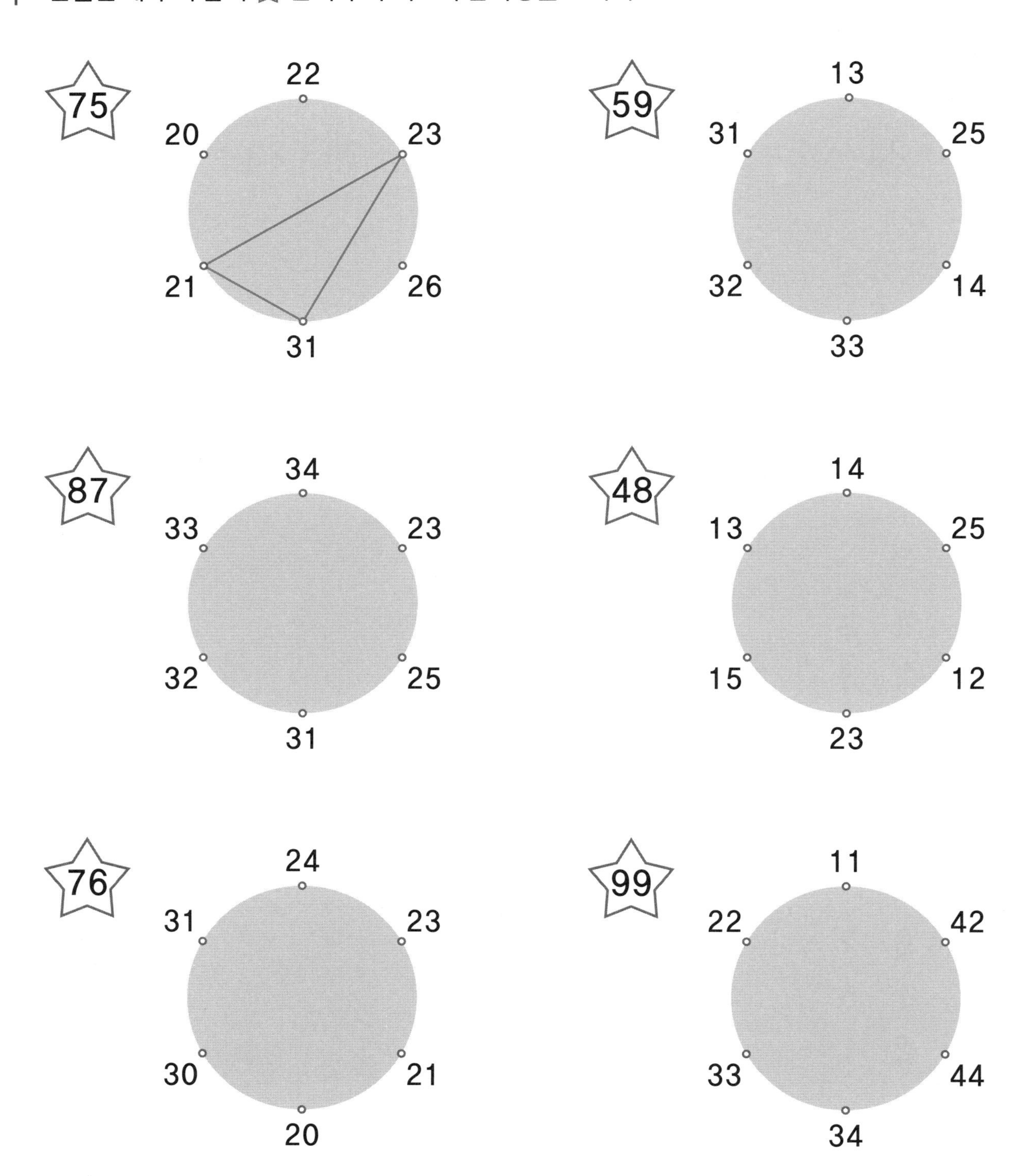

2 다음과 같이 세 수의 합에 맞게 숫자 하나를 지우고 바른 식을 쓰세요.

2 ~~1~~ + 5 3 + 2 4 = 79 ➡	2+53+24=79

4 2 + 2 1 + 3 5 = 58 ➡ ____________

6 1 + 2 4 + 7 1 = 86 ➡ ____________

5 2 + 4 5 + 3 2 = 99 ➡ ____________

3 승철이는 사탕을 12개 가지고 있습니다. 정호는 승철이보다 사탕을 11개 더 가지고 있습니다. 승철이와 정호가 가지고 있는 사탕은 모두 몇 개일까요?

식 ☐ + ☐ + ☐ = ☐　　답 ________ 개

4 농장에 오리 22마리와 닭 14마리가 있습니다. 이 농장에 병아리 31마리를 더 넣었습니다. 농장에 있는 동물은 모두 몇 마리일까요?

식 ____________________　　답 ________ 마리

126 빼고 빼기

두 가지 방법으로 세 수의 뺄셈을 해 봅시다.

$58-24-13=$ 34 $-13=$ 21

앞의 두 수를 계산한 다음 나머지 수를 계산합니다.

$85-13-22=85-$ 35 $=$ 50

빼고 뺄 때는 모아서 뺄 수 있습니다.

$76-22-24=\square-24$
$=\square$

$97-34-42=\square-42$
$=\square$

$59-24-14=59-\square$
$=\square$

$78-12-43=78-\square$
$=\square$

$85 - 21 - 32 = \square - 32$
$= \square$

$68 - 15 - 32 = 68 - \square$
$= \square$

$57 - 33 - 12 = \square - 12$
$= \square$

$77 - 23 - 24 = 77 - \square$
$= \square$

$48 - 11 - 14 = \square - 14$
$= \square$

$96 - 32 - 32 = 96 - \square$
$= \square$

$67 - 20 - 22 = \square$

$38 - 14 - 13 = \square$

$83 - 21 - 31 = \square$

$56 - 23 - 12 = \square$

$79 - 34 - 23 = \square$

$99 - 22 - 33 = \square$

1 계산 결과에 맞게 길을 그리세요.

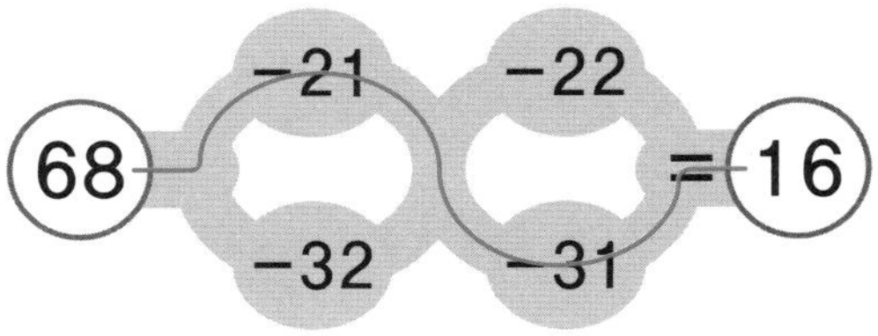

68 −21 −22 −32 −31 = 16

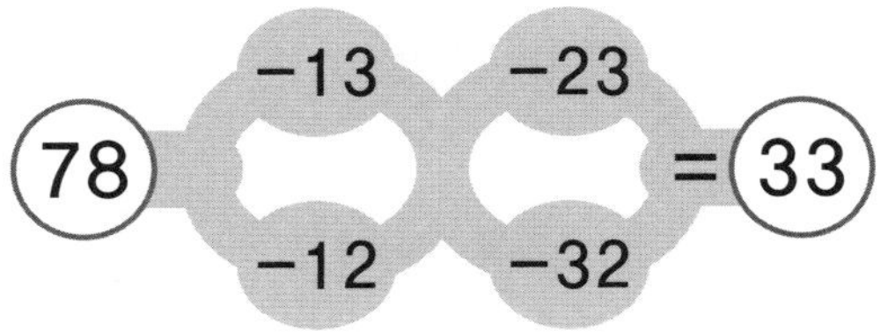

78 −13 −23 −12 −32 = 33

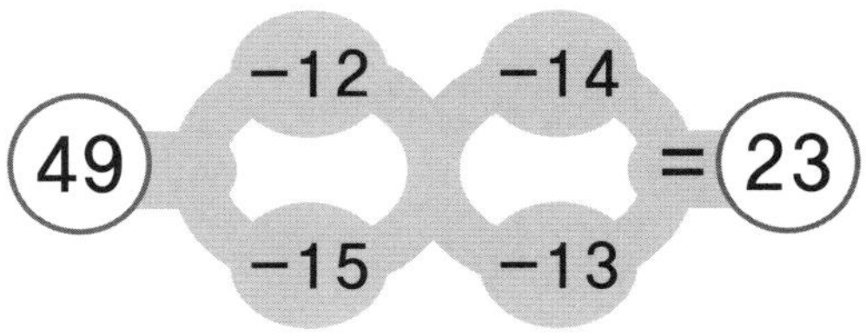

49 −12 −14 −15 −13 = 23

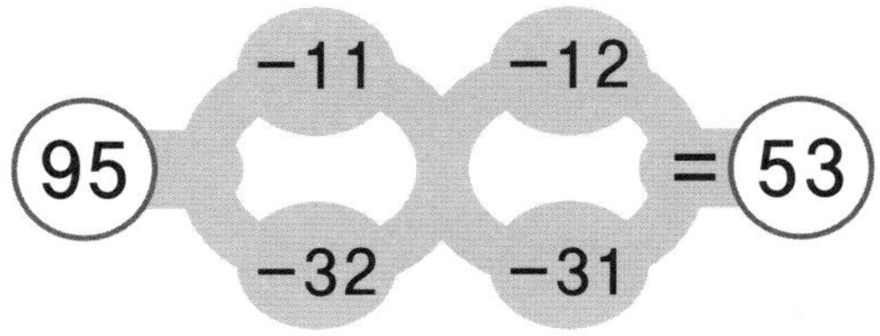

95 −11 −12 −32 −31 = 53

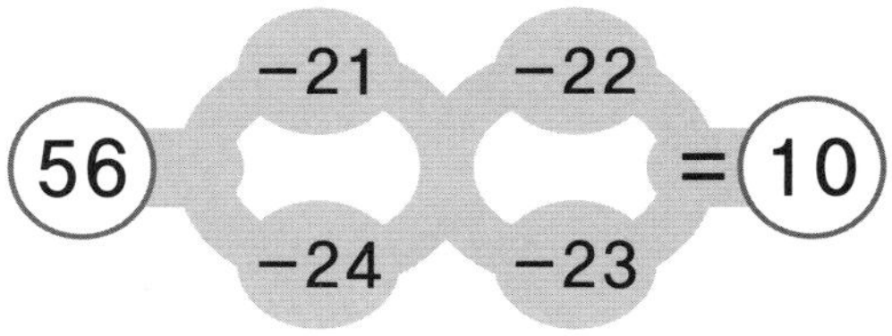

56 −21 −22 −24 −23 = 10

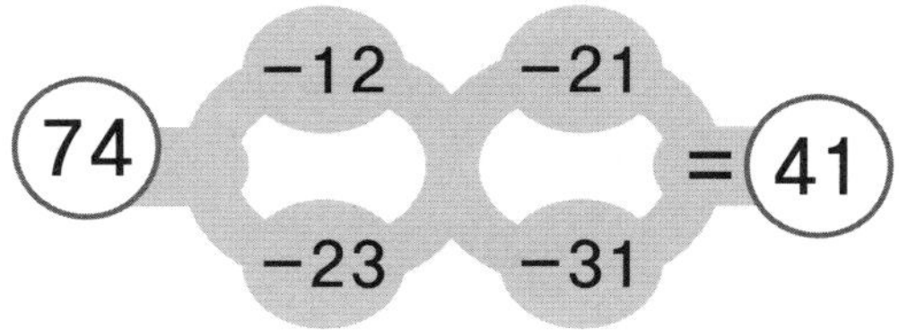

74 −12 −21 −23 −31 = 41

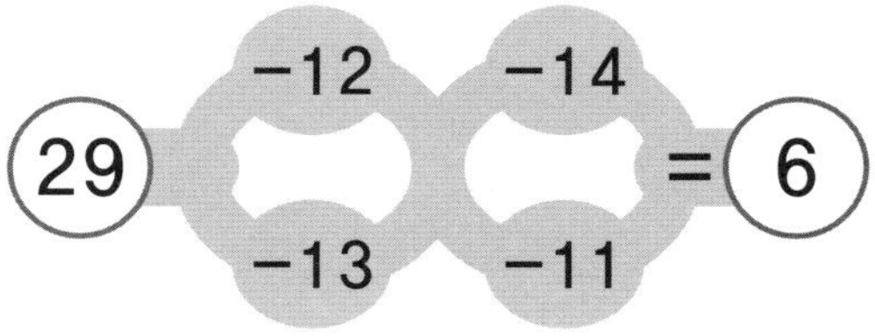

29 −12 −14 −13 −11 = 6

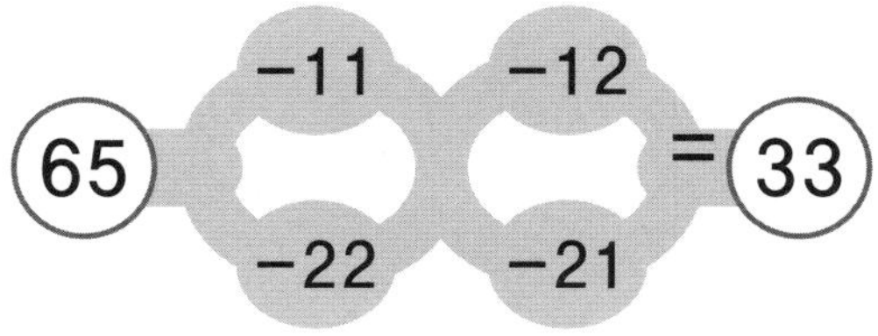

65 −11 −12 −22 −21 = 33

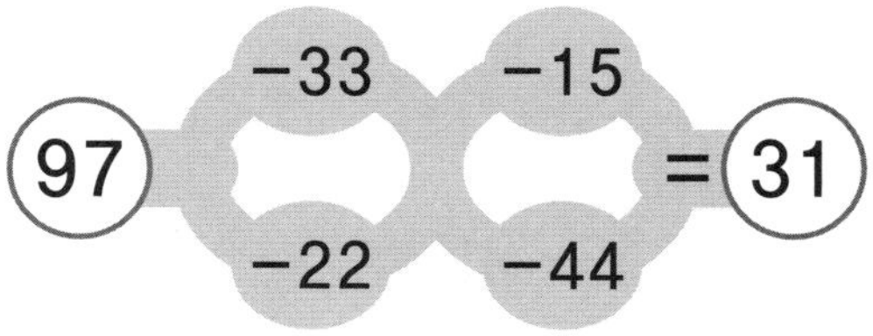

97 −33 −15 −22 −44 = 31

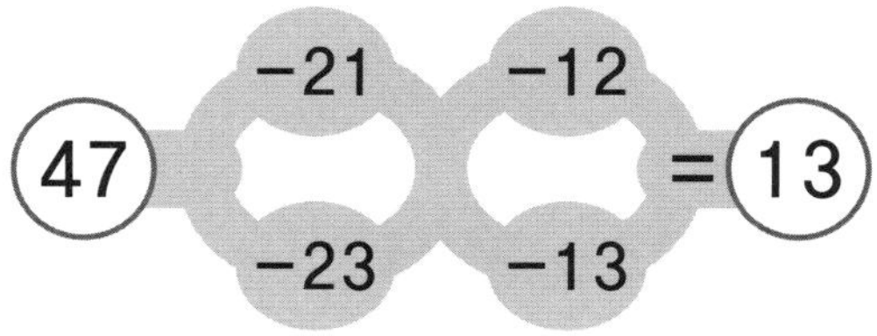

47 −21 −12 −23 −13 = 13

2 다음 수직선의 빈칸에 알맞은 수를 쓰고 □ 안에 알맞은 수를 쓰세요.

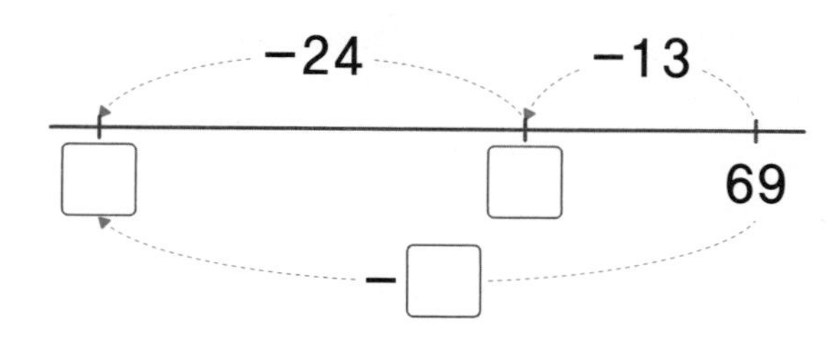

$69-13-24=69-\square$

$=\square$

3 어떤 수에서 23를 빼고 15를 빼는 것은 어떤 수에서 얼마를 빼는 것과 같을까요? 

4 민재는 동화책을 오전에 31쪽 읽고, 오후에 15쪽 읽었습니다. 이 책은 88쪽까지 있습니다. 민재가 동화책을 다 읽으려면 몇 쪽을 더 읽어야 할까요?

 식 ________________  답 ________ 쪽

5 방울토마토가 79개 있습니다. 그중 민주와 주희가 12개씩 먹었습니다. 남은 방울토마토는 몇 개일까요?

식 ________________ 답 ________ 개

3일

127 세 수의 계산

두 가지 방법으로 세 수의 계산을 해 봅시다.

$56-22+25=\boxed{34}+25$

$=\boxed{59}$

56과 22의 차를 구한 다음
그 계산 결과에 25를 더합니다.

$56-22+25=56+\boxed{3}$

$=\boxed{59}$

22를 빼고 25를 더하는 것은
3을 더하는 것과 같습니다.

56 →(−22) 34 →(+25) 59 (+3)

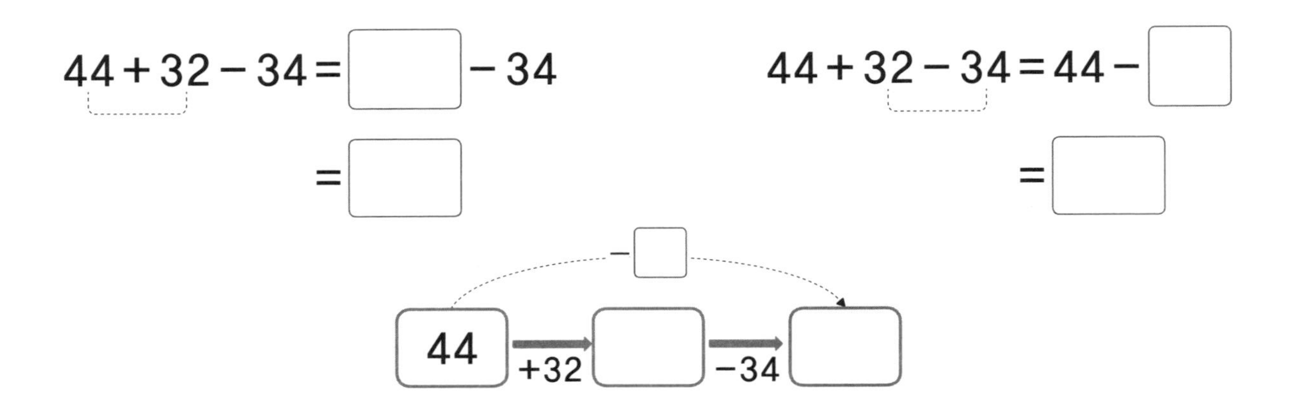

$65-41+45=\square+45$

$=\square$

$65-41+45=65+\square$

$=\square$

65 →(−41) □ →(+45) □ (+□)

$45 + 33 - 21 = \square - 21$

$= \square$

$75 + 24 - 21 = 75 + \square$

$= \square$

$66 - 15 + 25 = \square + 25$

$= \square$

$84 - 53 + 42 = 84 - \square$

$= \square$

$53 + 43 - 45 = \square - 45$

$= \square$

$26 + 41 - 45 = 26 - \square$

$= \square$

$48 - 36 + 25 = \square$

$86 - 23 - 11 = \square$

$63 + 15 - 47 = \square$

$79 - 37 + 35 = \square$

$97 - 24 - 23 = \square$

$53 - 21 + 27 = \square$

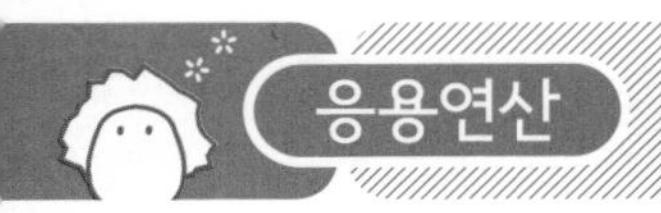

1 ○ 안에 + 또는 −를 채우세요.

69 ○ 13 ○ 25 = 31

26 ○ 13 ○ 53 = 66

46 ○ 23 ○ 34 = 35

15 ○ 52 ○ 22 = 89

87 ○ 42 ○ 23 = 68

96 ○ 54 ○ 35 = 77

51 ○ 36 ○ 45 = 42

2 규칙에 따라 삼각형 속에 수를 쓴 것입니다. 빈칸에 알맞은 수를 쓰세요.

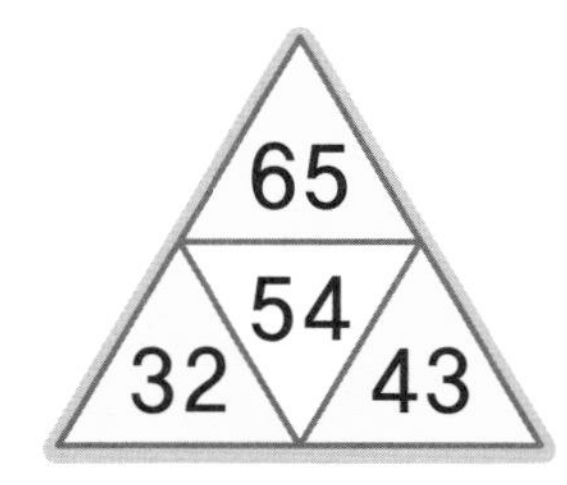

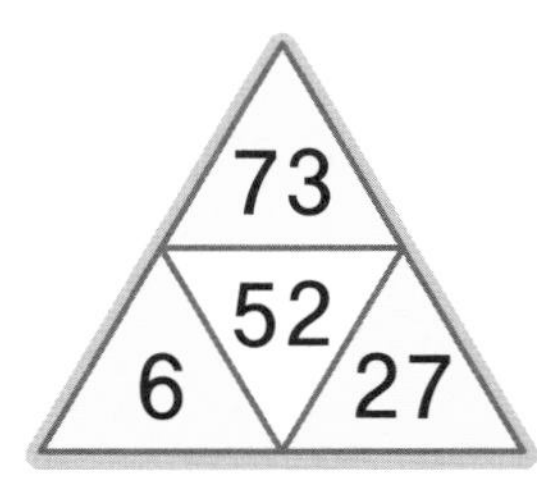

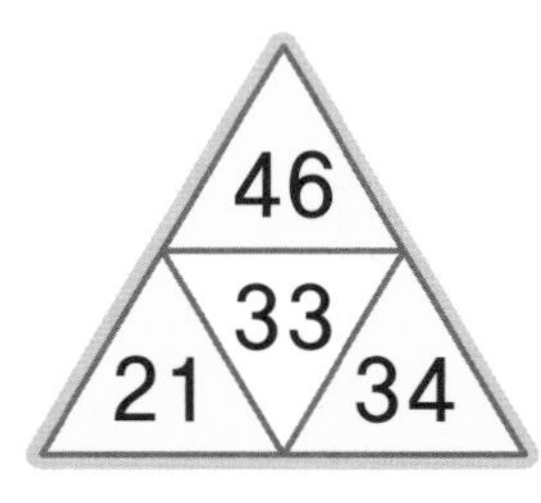

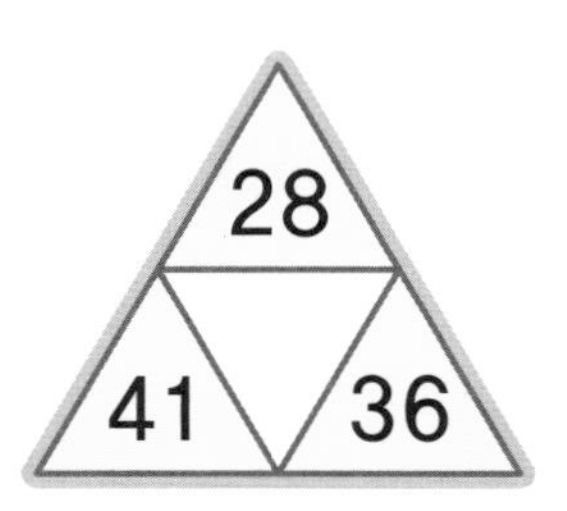

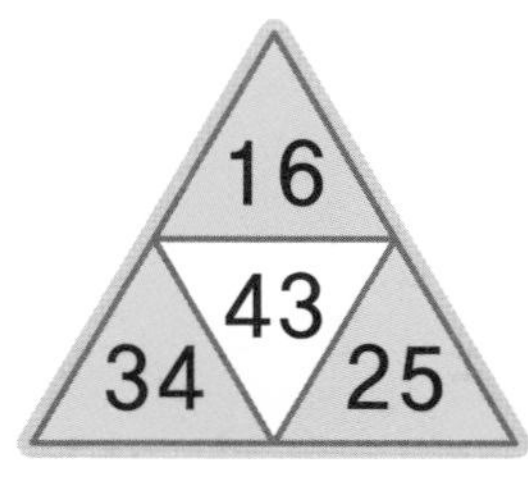

34
54
27
61

61
24
52
33

45
27
61

3 ○ 안에 + 또는 −를 쓰고, 식과 답을 완성하세요.

> 종호는 사탕을 45개 가지고 있습니다.
> 동생에게 14개를 주고, 어머니에게 32개를 받았습니다.
> 종호가 가지고 있는 사탕은 몇 개일까요?

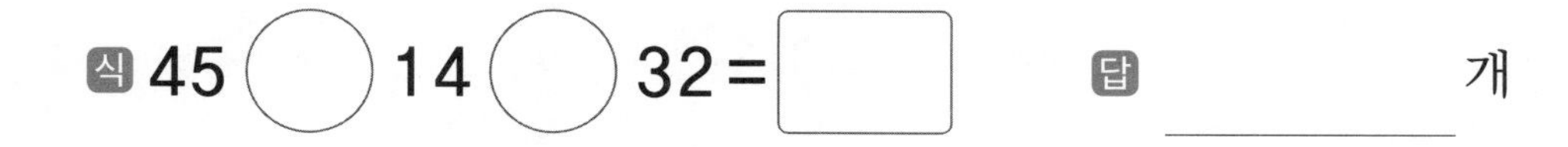

4 코끼리 열차에 54명이 타고 있었습니다. 동물원에서 23명이 내리고, 식물원에서 12명이 탔습니다. 지금 코끼리 열차에 타고 있는 사람은 몇 명일까요?

5 빨간색 구슬이 24개, 파란색 구슬이 31개 있습니다. 노란색 구슬은 빨간색 구슬과 파란색 구슬을 더한 것보다 13개 적다면 노란색 구슬은 몇 개일까요?

식 ______________________ 답 ________ 개

128 거꾸로 계산하기

거꾸로 계산하여 봅시다.

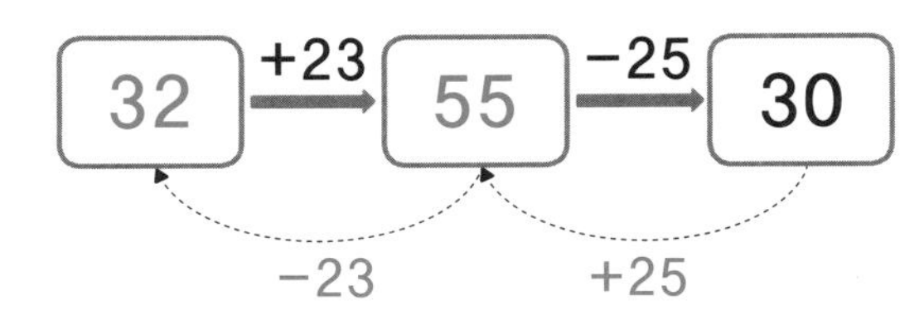

거꾸로 계산할 때에는
+는 −로, −는 +로
계산합니다.

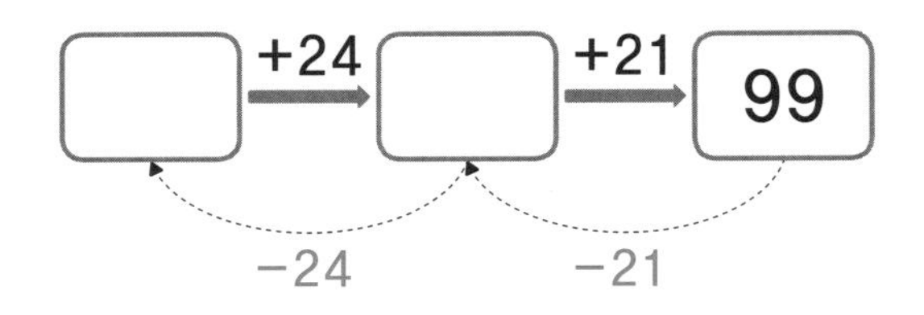

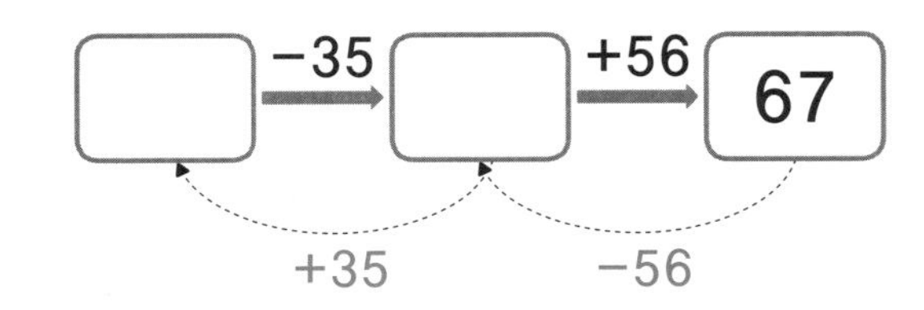

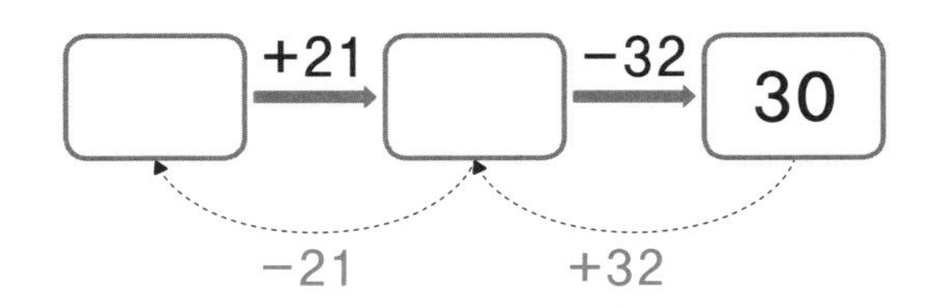

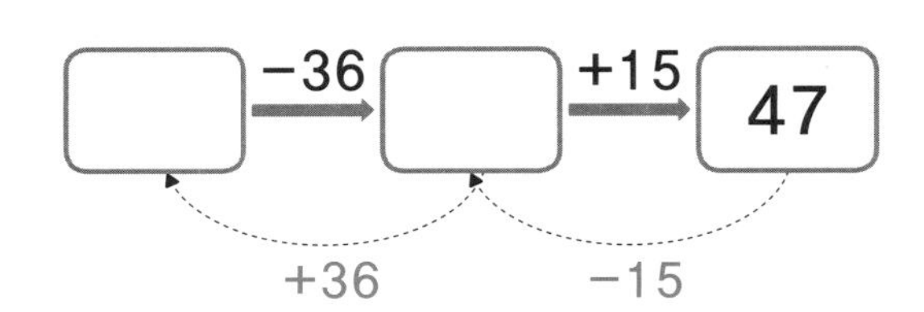

□ $\xrightarrow{-42}$ □ $\xrightarrow{-13}$ 21

□ $\xrightarrow{+23}$ □ $\xrightarrow{-26}$ 31

□ $\xrightarrow{+32}$ □ $\xrightarrow{+13}$ 69

□ $\xrightarrow{-45}$ □ $\xrightarrow{+43}$ 56

$\square + 43 + 23 = 89$

$\square - 24 + 46 = 68$

$\square + 25 + 32 = 79$

$\square - 52 + 24 = 56$

$\square + 54 - 45 = 32$

$\square - 27 + 18 = 69$

$\square + 23 - 34 = 25$

$\square - 25 + 24 = 48$

$\square + 26 - 34 = 64$

$\square - 23 - 15 = 21$

$\square + 24 - 26 = 32$

$\square + 63 - 32 = 46$

$\square - 23 - 12 = 11$

$\square + 32 - 34 = 50$

$\square - 23 - 13 = 31$

$\square + 12 - 25 = 13$

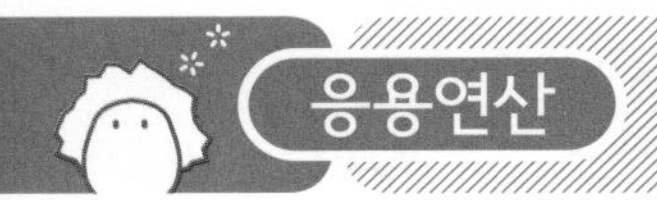

1 사다리를 타고 내려가는 길의 계산에 맞게 빈칸에 알맞은 수를 쓰세요.

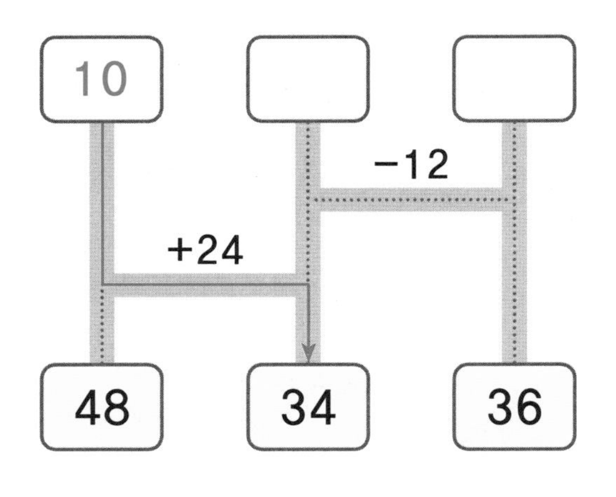

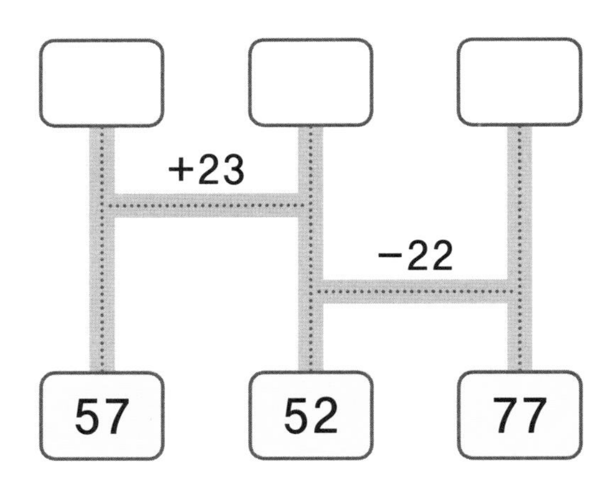

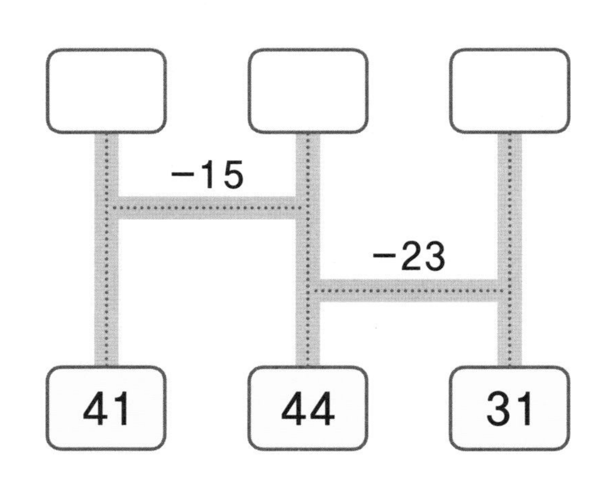

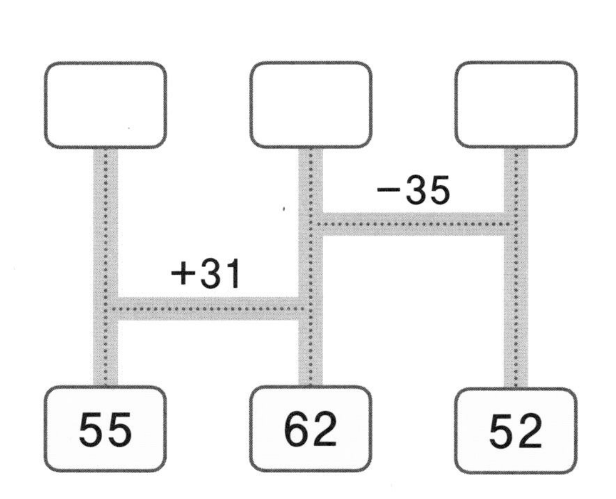

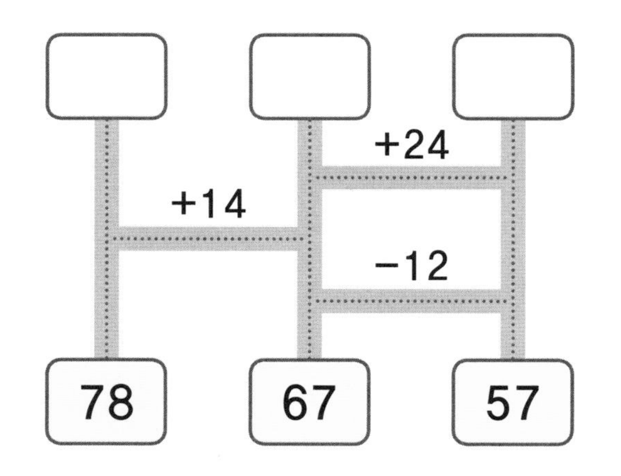

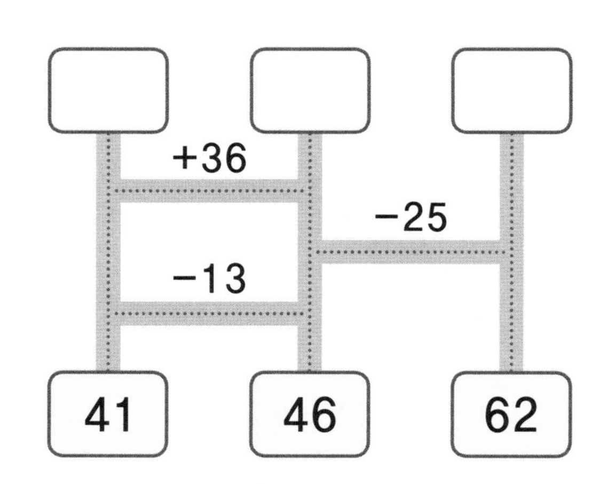

2 어떤 수를 구하는 식에 ◯표 하세요.

어떤 수에서 23을 빼고 26을 더하였더니 57이 되었습니다.

57−26+23	23−26+57	57+26−23	57−23−26

어떤 수에 45를 더하고 36을 뺐더니 21이 되었습니다.

45+36−21	21+36−45	21+45−36	21+45+36

3 □를 사용한 식을 세우고 답을 구하세요.

버스에 사람이 몇 명 타고 있습니다. 이번 정류장에서 23명이 내리고 15명이 탔더니 36명이 되었습니다. 처음에 버스에 타고 있던 사람은 몇 명일까요?

식 ______________________ 답 ________ 명

기호는 형에게 구슬 26개를 받고, 지호에게 구슬 34개를 주었습니다. 지금 기호가 가지고 있는 구슬은 43개입니다. 기호가 처음에 가지고 있었던 구슬은 몇 개일까요?

식 ______________________ 답 ________ 개

5일

형성평가

1 연결된 세 수의 합이 ☆ 안의 수가 되도록 삼각형을 그리세요.

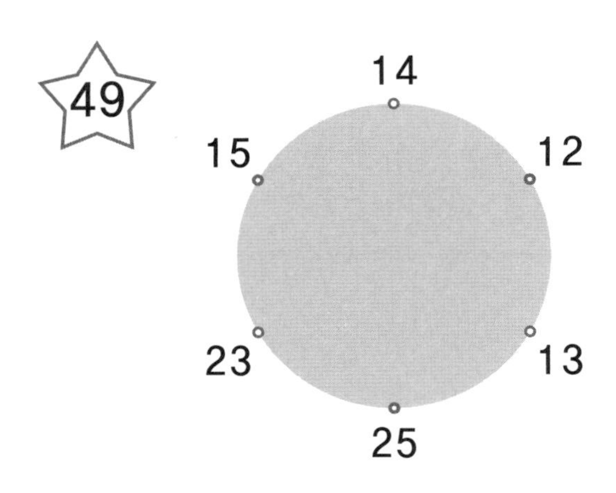

2 상자에 딸기와 토마토가 들어 있습니다. 딸기가 24개 있고, 토마토는 딸기보다 21개 더 많습니다. 상자에 들어 있는 과일은 모두 몇 개일까요?

식 ______________________ 답 __________ 개

3 계산 결과에 맞게 길을 그리세요.

66 −45 −34 −12 −23 = 31

88 −24 −13 −23 −22 = 42

4 준호는 구슬을 79개 가지고 있습니다. 주영이와 창희에게 구슬을 23개씩 나누어 주면 남은 구슬은 몇 개일까요?

식 ______________________ 답 ________ 개

5 계산을 하세요.

$54-21+24=$ ☐ $78-12-24=$ ☐

$32+44+22=$ ☐ $43+45-36=$ ☐

6 ○ 안에 + 또는 −를 채우세요.

42 ○ 36 ○ 46 = 32 34 ○ 13 ○ 32 = 79

65 ○ 23 ○ 32 = 74 51 ○ 23 ○ 54 = 20

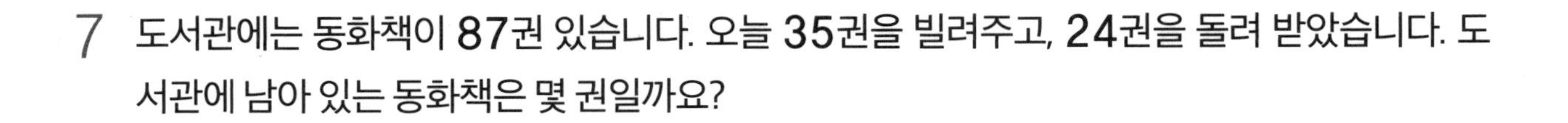

7 도서관에는 동화책이 87권 있습니다. 오늘 35권을 빌려주고, 24권을 돌려 받았습니다. 도서관에 남아 있는 동화책은 몇 권일까요?

식 ______________________ 답 __________ 권

8 사다리를 타고 내려가는 길의 계산에 맞게 빈칸에 알맞은 수를 쓰세요.

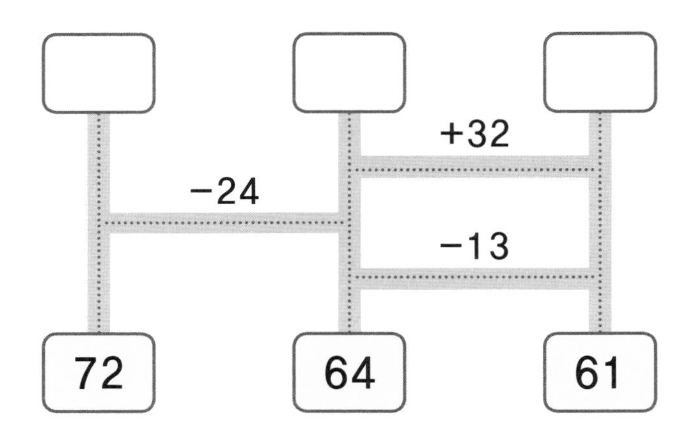

9 □를 사용한 식을 세우고 답을 구하세요.

진영이는 색종이를 몇 장 가지고 있었습니다. 세호에게 33장 주고, 재승이에게 27장을 받았더니 58장이 남았습니다. 진영이가 처음에 가지고 있던 색종이는 몇 장일까요?

식 ______________________ 답 __________ 장

상위권으로 가는 문제 해결 연산 학습지

P4
7~8세

받아올림, 받아내림 없는
두 자리 수끼리의 덧셈과 뺄셈

받아올림, 받아내림 없는 두 자리 수끼리의 덧셈과 뺄셈

7~8 세

정답 및 길잡이

덧셈하기

6·7쪽

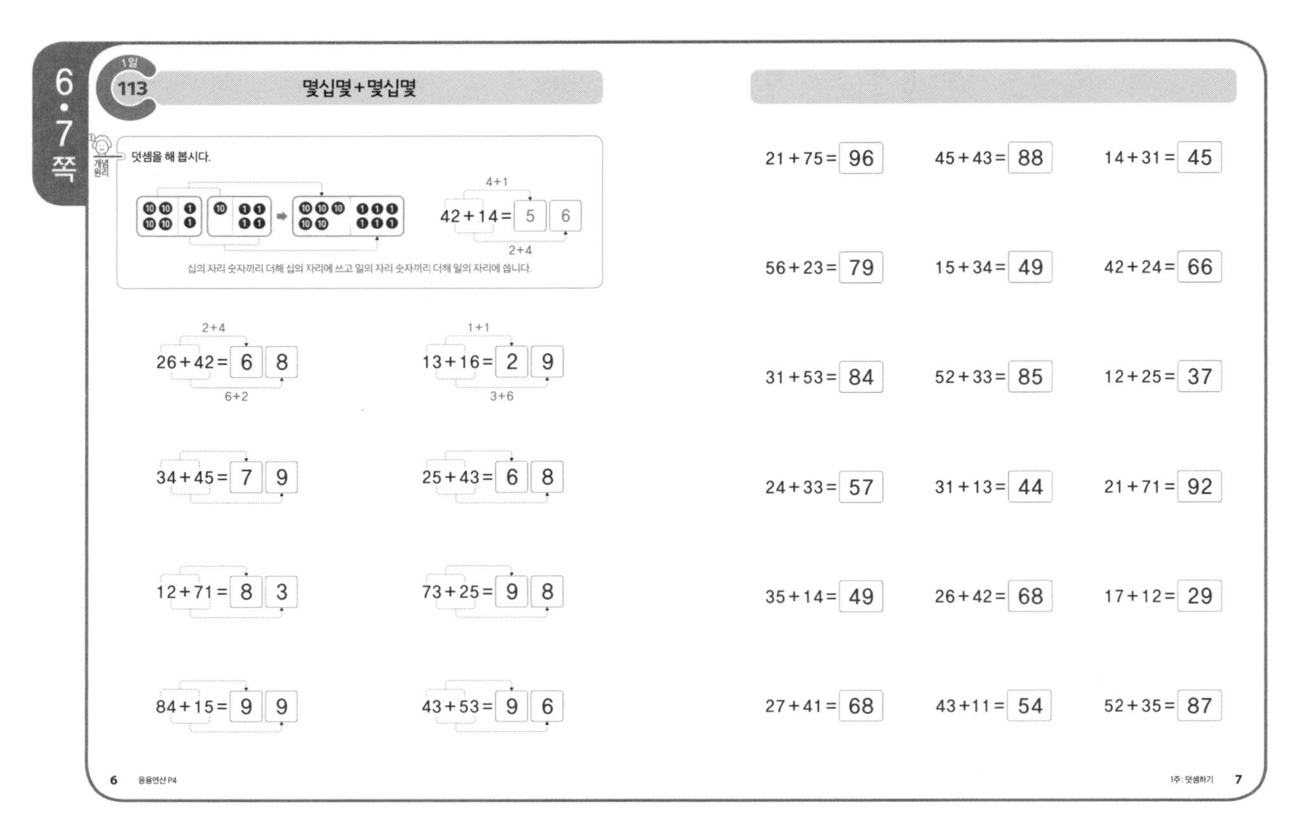

1일 113 몇십몇+몇십몇

개념 원리 덧셈을 해 봅시다.

42+14=5 6 (4+1, 2+4)

십의 자리 숫자끼리 더해 십의 자리에 쓰고 일의 자리 숫자끼리 더해 일의 자리에 씁니다.

26+42=6 8 (2+4, 6+2)

13+16=2 9 (1+1, 3+6)

34+45=7 9

25+43=6 8

12+71=8 3

73+25=9 8

84+15=9 9

43+53=9 6

21+75=96　45+43=88　14+31=45

56+23=79　15+34=49　42+24=66

31+53=84　52+33=85　12+25=37

24+33=57　31+13=44　21+71=92

35+14=49　26+42=68　17+12=29

27+41=68　43+11=54　52+35=87

6 응용연산 P4　　1주: 덧셈하기 7

8·9쪽

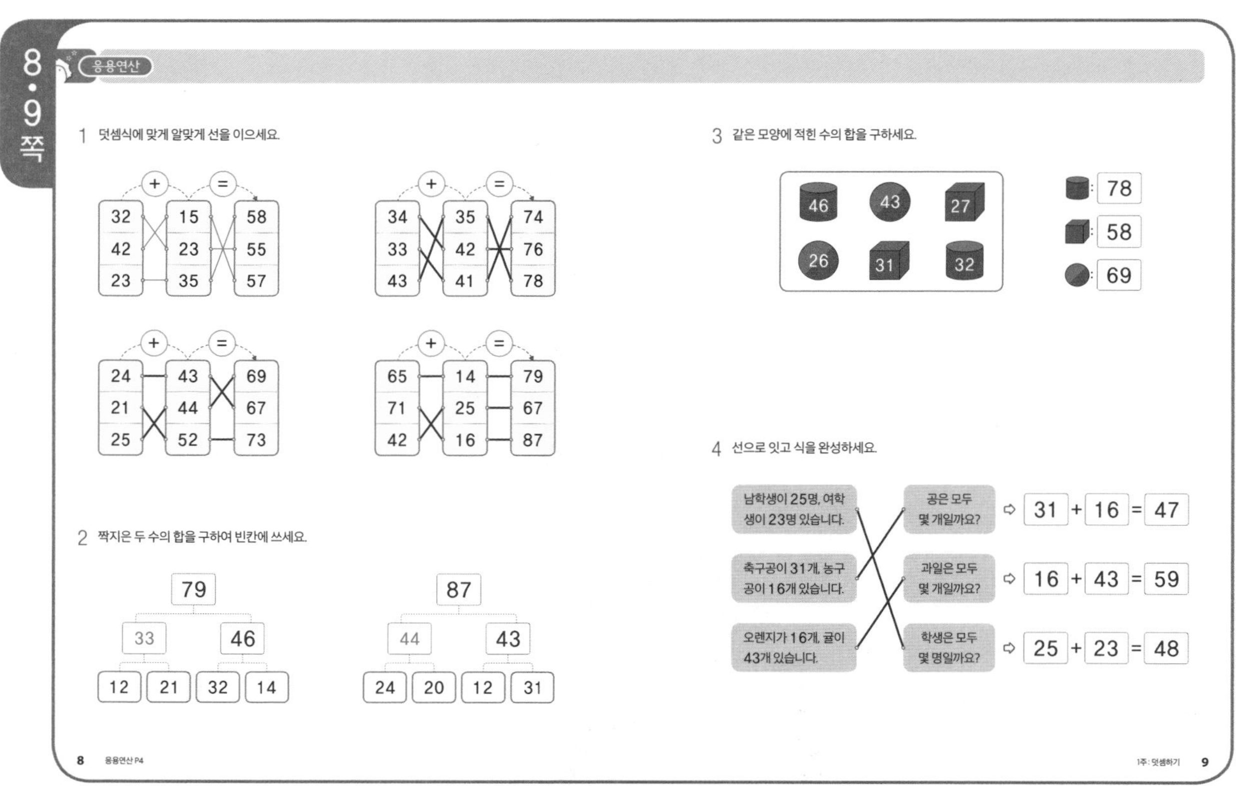

응용연산

1 덧셈식에 맞게 알맞게 선을 이으세요.

+		=
32	15	58
42	23	55
23	35	57

+		=
34	35	74
33	42	76
43	41	78

+		=
24	43	69
21	44	67
25	52	73

+		=
65	14	79
71	25	67
42	16	87

2 짝지은 두 수의 합을 구하여 빈칸에 쓰세요.

79 / 33, 46 / 12, 21, 32, 14

87 / 44, 43 / 24, 20, 12, 31

3 같은 모양에 적힌 수의 합을 구하세요.

46, 43, 27, 26, 31, 32

원기둥: 78
상자: 58
공: 69

4 선으로 잇고 식을 완성하세요.

남학생이 25명, 여학생이 23명 있습니다. — 학생은 모두 몇 명일까요? ⇨ 25 + 23 = 48

축구공이 31개, 농구공이 16개 있습니다. — 공은 모두 몇 개일까요? ⇨ 31 + 16 = 47

오렌지가 16개, 귤이 43개 있습니다. — 과일은 모두 몇 개일까요? ⇨ 16 + 43 = 59

8 응용연산 P4　　1주: 덧셈하기 9

10·11쪽

114 세로셈으로 덧셈하기 (2일)

개념원리: 세로 방식으로 덧셈을 해 봅시다.

$$\begin{array}{r} 42 \\ +\ 23 \\ \hline 65 \end{array}$$

십의 자리 숫자끼리 더해 십의 자리에 쓰고 일의 자리 숫자끼리 더해 일의 자리에 씁니다.

- $21 + 24 = 45$
- $63 + 33 = 96$
- $43 + 15 = 58$
- $32 + 36 = 68$
- $15 + 24 = 39$
- $51 + 23 = 74$
- $24 + 42 = 66$
- $72 + 16 = 88$
- $15 + 83 = 98$
- $54 + 15 = 69$
- $27 + 32 = 59$
- $35 + 43 = 78$
- $31 + 45 = 76$
- $81 + 17 = 98$
- $24 + 12 = 36$
- $13 + 34 = 47$
- $36 + 23 = 59$
- $53 + 32 = 85$
- $23 + 72 = 95$
- $26 + 22 = 48$
- $35 + 42 = 77$
- $45 + 34 = 79$
- $74 + 25 = 99$
- $12 + 85 = 97$

12·13쪽

응용연산

1 □ 안에 알맞은 수를 쓰세요.

- $53 + 3\boxed{4} = \boxed{8}7$
- $\boxed{1}6 + 4\boxed{2} = 58$
- $\boxed{7}3 + 16 = 8\boxed{9}$

2 ▭ 안의 수를 모두 사용하여 덧셈식을 완성하세요.

- (4 6 7) $46 + 41 = 87$
- (9 2 5) $25 + 34 = 59$
- (6 2 9) $21 + 75 = 96$
- (4 7 8) $32 + 46 = 78$
- (6 2 5) $42 + 23 = 65$
- (5 2 6) $53 + 12 = 65$

3 주어진 수를 모두 사용하여 덧셈식을 완성하세요.

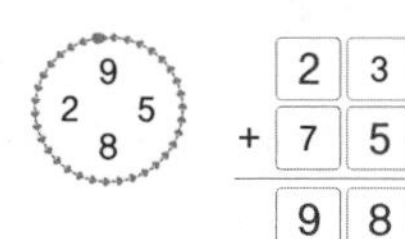

$23 + 75 = 98$

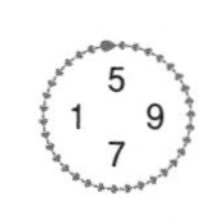

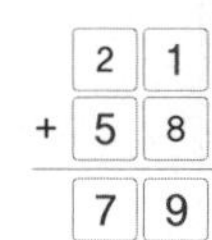

$21 + 58 = 79$

4 초콜릿이 52개 들어 있는 상자와 24개 들어 있는 상자가 있습니다. 두 상자에 들어 있는 초콜릿은 모두 몇 개일까요?

식 $52 + 24 = 76$

답 76 개

5 어머니의 연세는 37세이고, 아버지는 어머니보다 11살이 더 많습니다. 아버지의 연세는 몇 세일까요?

식 $37 + 11 = 48$

답 48 세

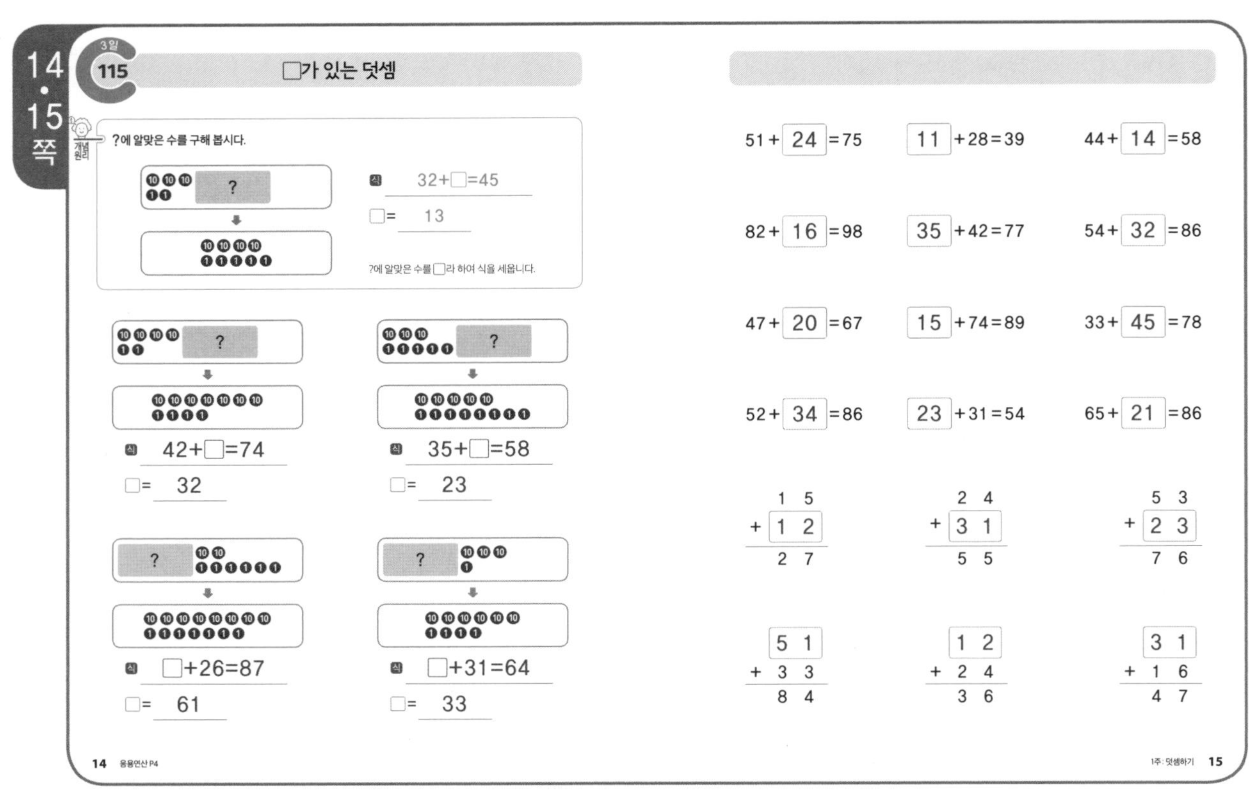

14·15쪽

3일 115 □가 있는 덧셈

개념원리 ?에 알맞은 수를 구해 봅시다.

식 32+□=45

□= 13

?에 알맞은 수를 □라 하여 식을 세웁니다.

식 42+□=74 　□= 32

식 35+□=58 　□= 23

식 □+26=87 　□= 61

식 □+31=64 　□= 33

51+24=75 　11+28=39 　44+14=58

82+16=98 　35+42=77 　54+32=86

47+20=67 　15+74=89 　33+45=78

52+34=86 　23+31=54 　65+21=86

15+12=27 　24+31=55 　53+23=76

51+33=84 　12+24=36 　31+16=47

14 응용연산 P4 　　1주: 덧셈하기 15

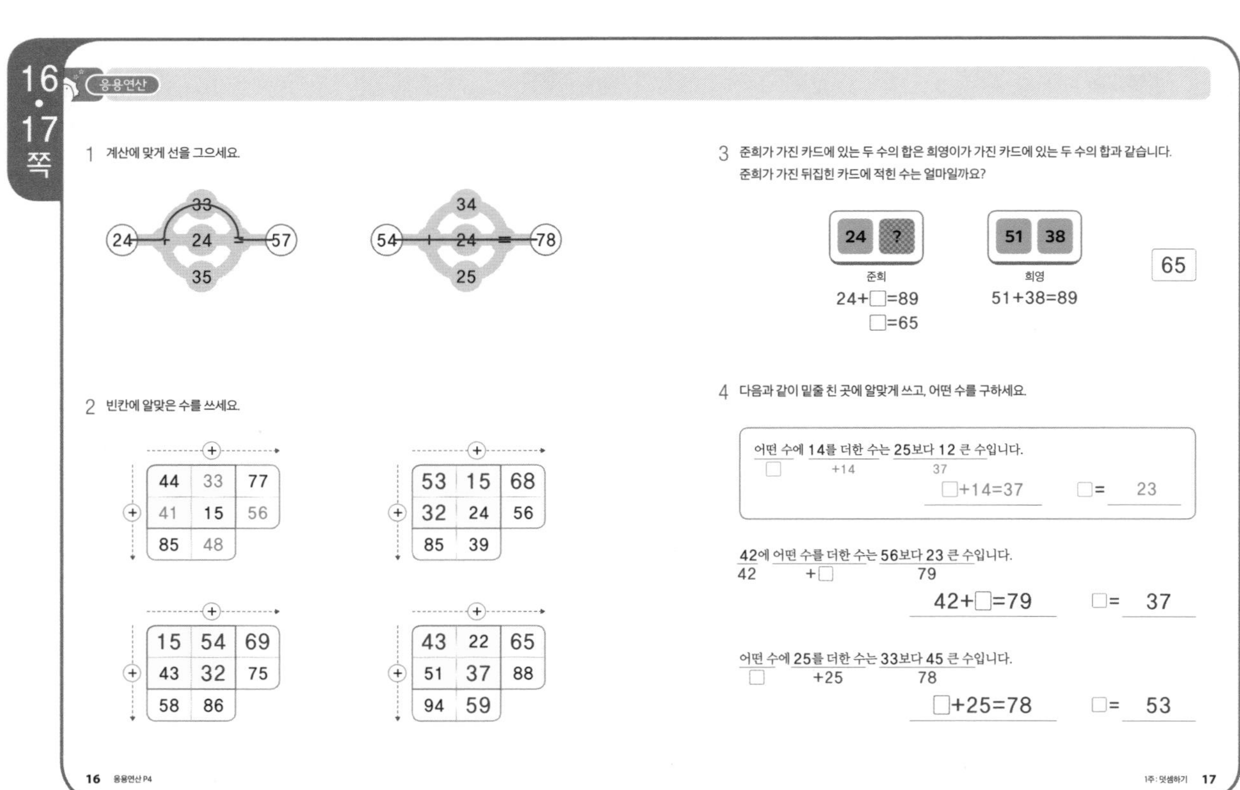

16·17쪽

응용연산

1 계산에 맞게 선을 그으세요.

24 — 33, 24, 35 — 57

54 — 34, 24, 25 — 78

2 빈칸에 알맞은 수를 쓰세요.

44	33	77
41	15	56
85	48	

53	15	68
32	24	56
85	39	

15	54	69
43	32	75
58	86	

43	22	65
51	37	88
94	59	

3 준희가 가진 카드에 있는 두 수의 합은 희영이가 가진 카드에 있는 두 수의 합과 같습니다. 준희가 가진 뒤집힌 카드에 적힌 수는 얼마일까요?

준희: 24, ? 　희영: 51, 38

24+□=89 　51+38=89

□=65

65

4 다음과 같이 밑줄 친 곳에 알맞게 쓰고, 어떤 수를 구하세요.

어떤 수에 14를 더한 수는 25보다 12 큰 수입니다.
□ +14 37
□+14=37 　□= 23

42에 어떤 수를 더한 수는 56보다 23 큰 수입니다.
42 +□ 79
42+□=79 　□= 37

어떤 수에 25를 더한 수는 33보다 45 큰 수입니다.
□ +25 78
□+25=78 　□= 53

16 응용연산 P4 　　1주: 덧셈하기 17

18·19쪽

116 합이 되는 두 수 찾기

개념원리 합에 맞게 두 수를 찾아 덧셈식을 완성하여 봅시다.

21 36 33 42

21 + 33 = 54

36 + 42 = 78

합이 54인 두 수를 찾으려면 먼저 일의 자리 숫자의 합이 4인 두 수를 찾습니다.

15 21 22 23

15 + 23 = 38 또는 23+15

21 + 22 = 43 또는 22+21

41 42 43 52

41 + 43 = 84 또는 43+41

42 + 52 = 94 또는 52+42

32 46 41 45

32 + 46 = 78 또는 46+32

41 + 45 = 86 또는 45+41

24 33 25 26

24 + 25 = 49 또는 25+24

26 + 33 = 59 또는 33+26

21 35 42

21 + 42 = 63

35 + 42 = 77 또는 42+35

21 + 35 = 56 또는 35+21

44 31 52

31 + 52 = 83 또는 52+31

44 + 52 = 96 또는 52+44

31 + 44 = 75 또는 44+31

24 32 45

24 + 45 = 69 또는 45+24

24 + 32 = 56 또는 32+24

32 + 45 = 77 또는 45+32

53 43 33

33 + 53 = 86 또는 53+33

33 + 43 = 76 또는 43+33

43 + 53 = 96 또는 53+43

62 34 21

21 + 34 = 55 또는 34+21

21 + 62 = 83 또는 62+21

34 + 62 = 96 또는 62+34

55 30 32

32 + 55 = 87 또는 55+32

32 + 30 = 62 또는 30+32

30 + 55 = 85 또는 55+30

20·21쪽

응용연산

1 합이 가운데 수가 되는 두 수에 색칠하고 덧셈식을 완성하세요.

27 + 32 = 59 또는 32+27

44 + 34 = 78 또는 34+44

2 합에 맞게 두 수를 선으로 연결하세요.

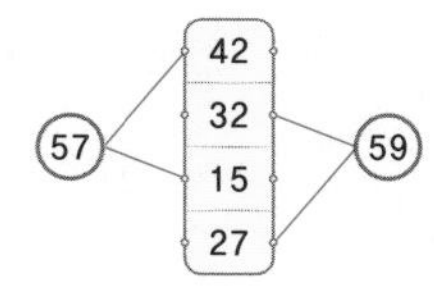

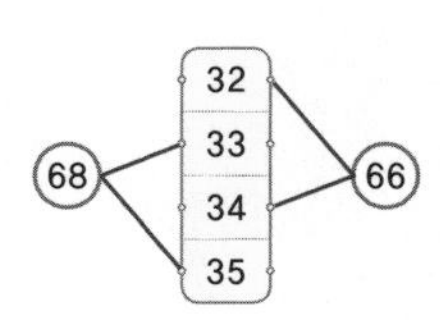

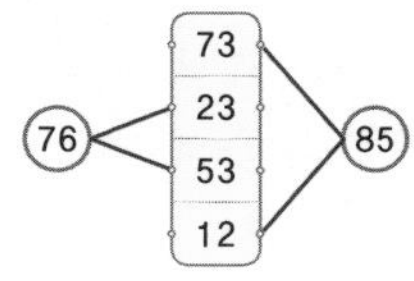

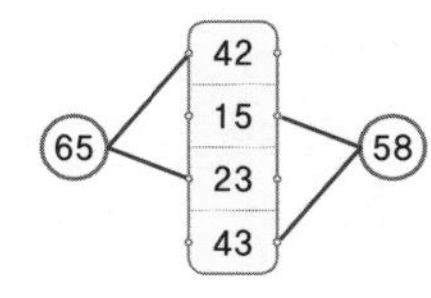

3 일의 자리 숫자가 5인 두 자리 수와 십의 자리 숫자가 3인 두 자리 수가 있습니다. 이 두 수의 합이 78일 때 두 수를 각각 구하세요.

□5 3□ 두 수: 45, 33

4 승희, 지우, 재희, 기주가 가지고 있는 동화책의 수입니다. 물음에 답하세요.

이름	승희	지우	재희	기주
동화책의 수(권)	24	35	21	31

동화책을 가장 많이 가지고 있는 사람과 가장 적게 가지고 있는 사람의 동화책을 모으면 모두 몇 권일까요?

식 35 + 21 = 56 답 56 권

두 사람이 가진 동화책을 모두 모았더니 55권입니다. 누구와 누구의 동화책을 모은 것일까요?

식 24 + 31 = 55 답 승희 와 기주

22·23쪽

5일 형성평가

1 덧셈에 맞게 알맞게 선을 이으세요.

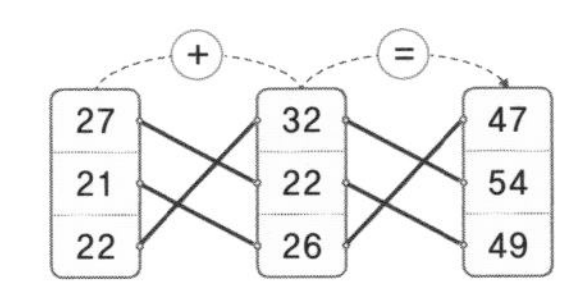

2 같은 모양에 적힌 수의 합을 구하세요.

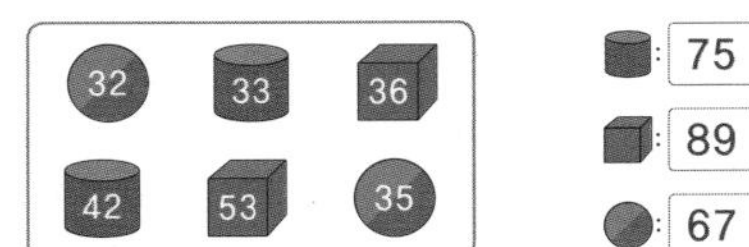

3 주어진 수를 모두 사용하여 덧셈식을 완성하세요.

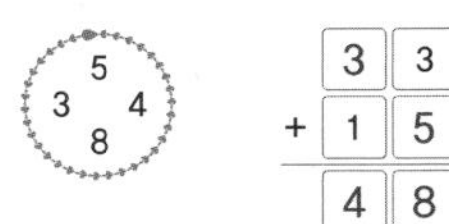

4 오렌지가 42개 들어 있는 상자와 귤이 46개 들어 있는 상자가 있습니다. 두 상자에 들어 있는 과일은 모두 몇 개일까요?

답 88개

5 계산에 맞게 빈칸에 알맞은 수를 쓰세요.

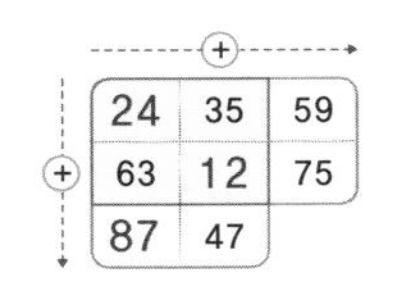

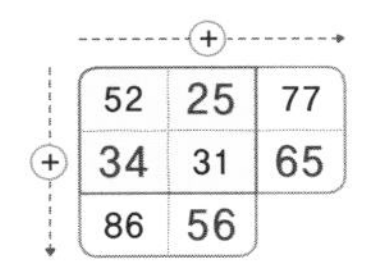

6 세진이와 영우는 수 카드를 2장씩 가지고 있습니다. 영우가 가진 카드에 있는 두 수의 합은 세진이가 가진 카드에 있는 두 수의 합과 같습니다. 영우가 가진 뒤집힌 카드에 적힌 수는 얼마일까요?

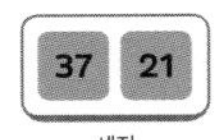

세진 37+21=58

영우 43+□=58, □=15

15

22 응용연산 P4 / 1주: 덧셈하기 23

24쪽

7 주어진 수를 사용하여 계산 결과에 맞게 □ 안에 알맞은 수를 쓰세요.

35 44 43

35 + 44 = 79 또는 44+35

35 + 43 = 78 또는 43+35

43 + 44 = 87 또는 44+43

8 합에 맞게 두 수를 선으로 연결하세요.

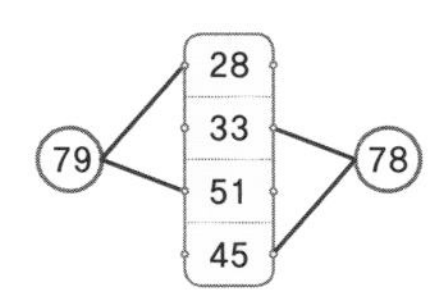

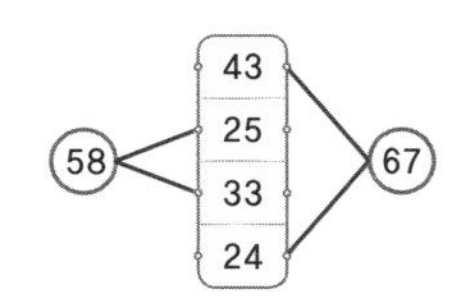

9 일의 자리 숫자가 8인 두 자리 수와 십의 자리 숫자가 2인 두 자리 수가 있습니다. 이 두 수의 합이 69일 때 두 수를 각각 구하세요.

□8 2□

두 수: 48, 21

24 응용연산 P4

뺄셈하기

26·27쪽

1일 117 몇십몇-몇십몇

개념원리 뺄셈을 해 봅시다.

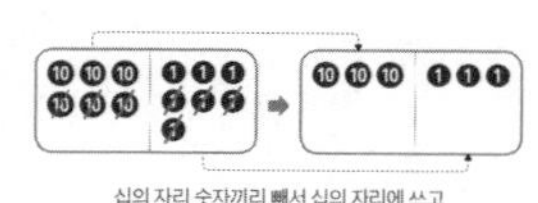

6−3
67−34= 3 3
7−4

십의 자리 숫자끼리 빼서 십의 자리에 쓰고
일의 자리 숫자끼리 빼서 일의 자리에 씁니다.

8−6
84−61= 2 3
4−1

6−3
67−35= 3 2
7−5

56−12= 4 4

73−22= 5 1

48−24= 2 4

92−52= 4 0

27−12= 1 5

68−36= 3 2

63−21= 42 37−13= 24 44−34= 10

85−35= 50 76−24= 52 68−32= 36

38−24= 14 59−14= 45 26−13= 13

54−31= 23 94−53= 41 83−20= 63

96−62= 34 85−22= 63 39−15= 24

27−15= 12 43−11= 32 74−33= 41

26 응용연산 P4 2주: 뺄셈하기 27

28·29쪽

응용연산

1 뺄셈식에 맞게 알맞게 선을 이으세요.

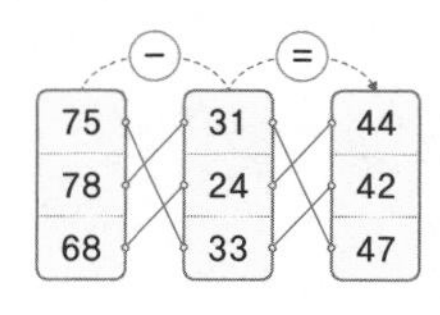
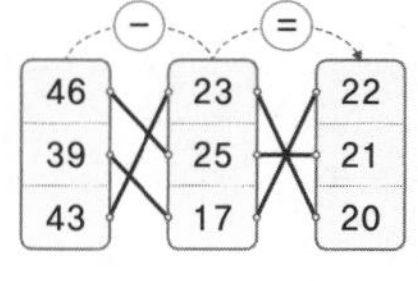
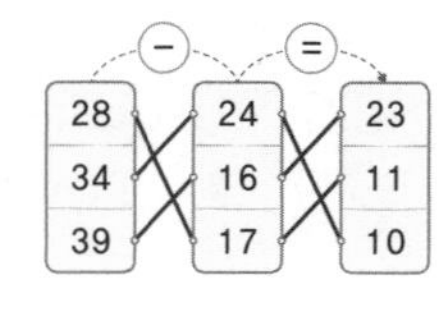
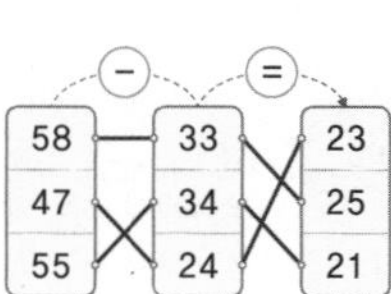

2 짝지은 두 수의 차를 구하여 빈칸에 쓰세요.

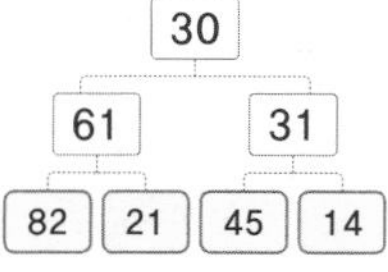
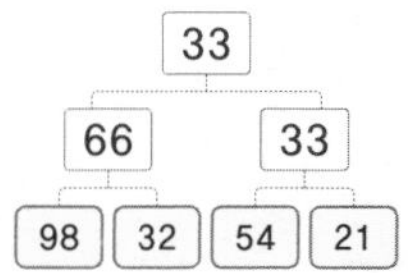

3 그림을 보고 알맞은 것끼리 선으로 연결하세요.

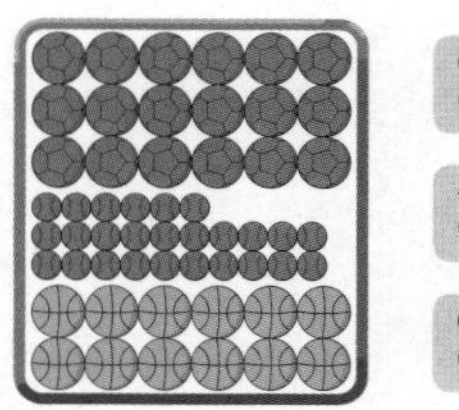
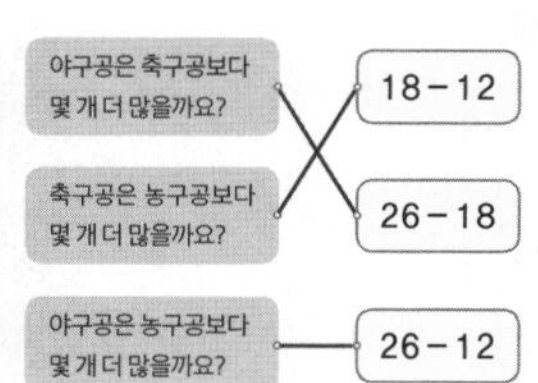
야구공은 축구공보다 몇 개 더 많을까요?
축구공은 농구공보다 몇 개 더 많을까요?
야구공은 농구공보다 몇 개 더 많을까요?
18−12
26−18
26−12

4 농장에 병아리 89마리와 오리 46마리가 있습니다. 병아리는 오리보다 몇 마리 더 많을까요?

식 89 − 46 = 43 답 43 마리

5 빵집에 도넛이 10개씩 들어 있는 봉지 6개와 낱개 6개가 있습니다. 그중에 봉지 2개와 낱개 3개를 팔았다면 도넛은 몇 개 남았을까요?

식 66 − 23 = 43 답 43 개

28 응용연산 P4 2주: 뺄셈하기 29

30 · 31 쪽

2일 118 **세로셈으로 뺄셈하기**

개념 원리: 세로 방식으로 뺄셈하는 방법을 알아봅시다.

$87 - 53 = 34$

십의 자리 숫자끼리 빼서 십의 자리에 쓰고
일의 자리 숫자끼리 빼서 일의 자리에 씁니다.

$38 - 15 = 23$ $\quad 67 - 22 = 45$ $\quad 48 - 27 = 21$

$46 - 11 = 35$ $\quad 84 - 42 = 42$ $\quad 56 - 24 = 32$

$95 - 33 = 62$ $\quad 29 - 14 = 15$ $\quad 78 - 45 = 33$

$25 - 13 = 12$ $\quad 56 - 35 = 21$ $\quad 74 - 21 = 53$

$96 - 24 = 72$ $\quad 62 - 32 = 30$ $\quad 48 - 16 = 32$

$37 - 24 = 13$ $\quad 85 - 53 = 32$ $\quad 28 - 14 = 14$

$86 - 23 = 63$ $\quad 95 - 32 = 63$ $\quad 58 - 35 = 23$

$69 - 43 = 26$ $\quad 48 - 15 = 33$ $\quad 76 - 65 = 11$

32 · 33 쪽

응용연산

1 □안에 알맞은 수를 쓰세요.

$28 - 16 = 12$ $\quad 96 - 33 = 63$ $\quad 83 - 51 = 32$

2 ▭안의 수를 모두 사용하여 뺄셈식을 완성하세요.

[3 2 4] $36 - 14 = 22$ $\quad$ [6 2 8] $68 - 43 = 25$ $\quad$ [8 7 9] $98 - 31 = 67$

[4 5 6] $86 - 54 = 32$ $\quad$ [4 2 5] $45 - 21 = 24$ $\quad$ [1 8 3] $87 - 51 = 36$

3 주어진 수를 모두 사용하여 뺄셈식을 완성하세요.

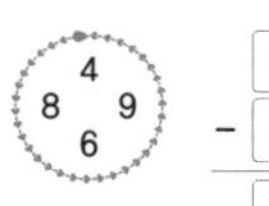

$69 - 41 = 28$

(2, 4, 6, 7) $67 - 44 = 23$

4 공책 58권을 민지와 지혜가 나누어 가지려고 합니다. 민지가 26권을 가지면 지혜는 몇 권을 가지게 될까요?

식 $58 - 26 = 32$

답 32권

5 영지네 학교의 학생은 89명입니다. 그중 안경을 낀 학생이 54명입니다. 안경을 끼지 않은 학생은 몇 명일까요?

식 $89 - 54 = 35$

답 35명

34·35쪽

3일 119

□가 있는 뺄셈

개념원리 빼는 수만큼 /로 지우고, 뺄셈식을 완성하여 봅시다.

43 − 31 = 12

43에서 12를 남기고 지우려면 /로 31만큼 지워야 합니다.

59 − 23 = 36

빼는 수 23만큼 /로 지우면 59에서 남은 수는 36이 됩니다.

76 − 42 = 34

27 − 14 = 13

38 − 14 = 24

75 − 41 = 34

64 − 33 = 31

83 − 32 = 51

68 − 24 = 44   27 − 12 = 15   36 − 13 = 23

46 − 21 = 25   75 − 33 = 42   68 − 43 = 25

89 − 52 = 37   34 − 14 = 20   43 − 32 = 11

57 − 41 = 16   93 − 31 = 62   76 − 23 = 53

$73 - 12 = 61$ $49 - 26 = 23$ $32 - 10 = 22$ $65 - 41 = 24$

$96 - 52 = 44$ $24 - 13 = 11$ $87 - 35 = 52$ $58 - 26 = 32$

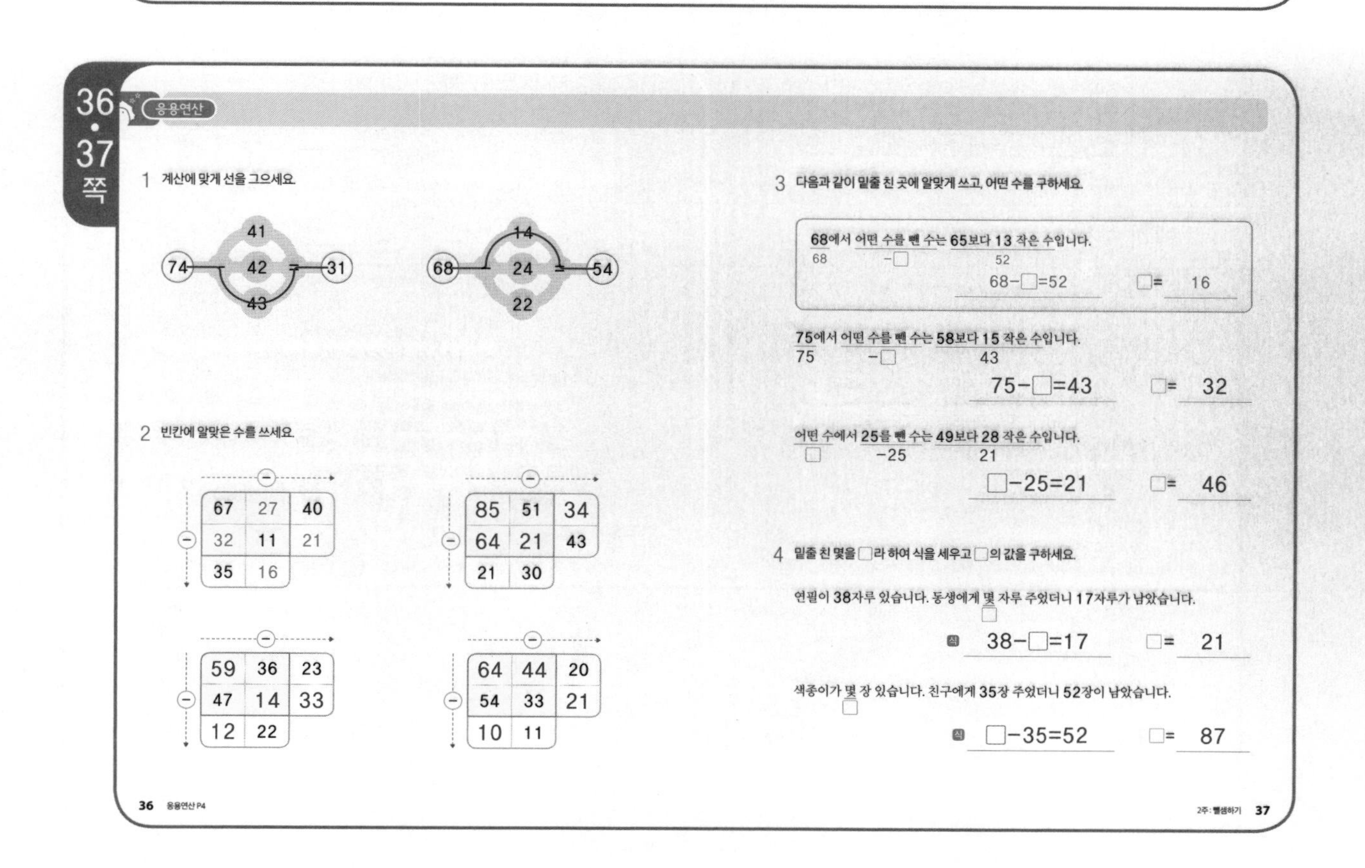

36·37쪽

응용연산

1 계산에 맞게 선을 그으세요.

74 − 43 = 31   68 − 14 = 54

2 빈칸에 알맞은 수를 쓰세요.

67	27	40
32	11	21
35	16	

85	51	34
64	21	43
21	30	

59	36	23
47	14	33
12	22	

64	44	20
54	33	21
10	11	

3 다음과 같이 밑줄 친 곳에 알맞게 쓰고, 어떤 수를 구하세요.

68에서 어떤 수를 뺀 수는 65보다 13 작은 수입니다.
68 −□ 52
68−□=52 □= 16

75에서 어떤 수를 뺀 수는 58보다 15 작은 수입니다.
75 −□ 43
75−□=43 □= 32

어떤 수에서 25를 뺀 수는 49보다 28 작은 수입니다.
□ −25 21
□−25=21 □= 46

4 밑줄 친 몇을 □라 하여 식을 세우고 □의 값을 구하세요.

연필이 38자루 있습니다. 동생에게 몇 자루 주었더니 17자루가 남았습니다.

식 38−□=17 □= 21

색종이가 몇 장 있습니다. 친구에게 35장 주었더니 52장이 남았습니다.

식 □−35=52 □= 87

38·39쪽

4일 120 차가 되는 두 수 찾기

차에 맞게 두 수를 찾아 뺄셈식을 완성하여 봅시다.

22 34 46 53

53 - 22 = 31

46 - 34 = 12

차가 31인 두 수를 찾으려면 먼저 일의 자리 숫자의 차가 1인 두 수를 찾습니다.

41 14 37 11

41 - 11 = 30

37 - 14 = 23

22 49 74 21

49 - 21 = 28

74 - 22 = 52

26 58 15 24

26 - 15 = 11

58 - 24 = 34

35 14 49 31

35 - 14 = 21

49 - 31 = 18

21 42 65

42 - 21 = 21

65 - 21 = 44

65 - 42 = 23

42 53 84

84 - 53 = 31

84 - 42 = 42

53 - 42 = 11

33 44 58

58 - 33 = 25

44 - 33 = 11

58 - 44 = 14

23 34 66

34 - 23 = 11

66 - 23 = 43

66 - 34 = 32

76 54 42

76 - 54 = 22

54 - 42 = 12

76 - 42 = 34

96 51 75

96 - 51 = 45

96 - 75 = 21

75 - 51 = 24

38 응용연산 P4 　　 2주: 뺄셈하기 39

40·41쪽

응용연산

1 선으로 이어진 두 수의 차를 구하세요.

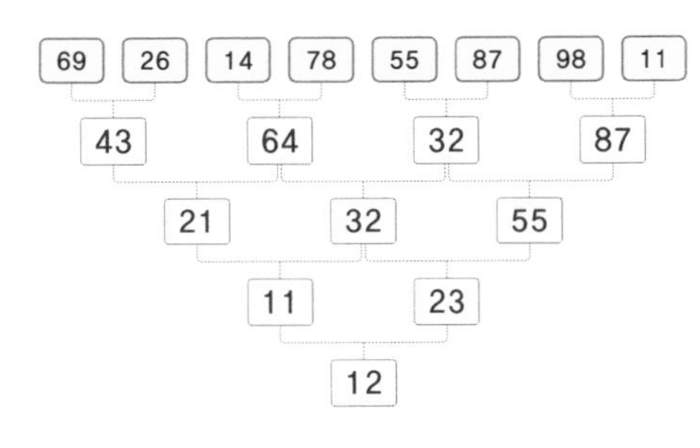

2 차가 가운데 수가 되는 두 수를 찾아 색칠하고 뺄셈식을 완성하세요.

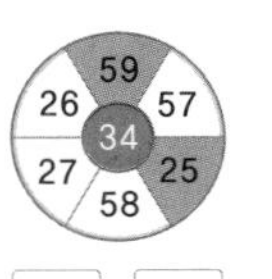

59 - 25 = 34

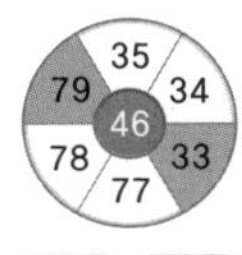

79 - 33 = 46

3 일의 자리 숫자가 6인 두 자리 수와 십의 자리 숫자가 4인 두 자리 수가 있습니다. 이 두 수의 차가 41일 때 두 수를 각각 구하세요.

□6 　 4□ 　 두 수: 86, 45

4 알맞은 말에 ○표 하고, 식을 완성하세요.

송아지가 48마리, 염소가 59마리 있습니다.
(송아지 , (염소))는 ((송아지) , 염소)보다 몇 마리 더 많을까요?

식 59 - 48 = 11 　 답 11 마리

남학생이 38명, 여학생이 25명 있습니다.
((남학생) , 여학생)은 (남학생 , (여학생))보다 몇 명 더 많을까요?

식 38 - 25 = 13 　 답 13 명

토마토는 21개, 복숭아는 47개 있습니다.
(토마토 , (복숭아))는 ((토마토) , 복숭아)보다 몇 개 더 많을까요?

식 47 - 21 = 26 　 답 26 개

40 응용연산 P4 　　 2주: 뺄셈하기 41

42·43쪽

5일 형성평가

1 뺄셈에 맞게 알맞게 선을 이으세요.

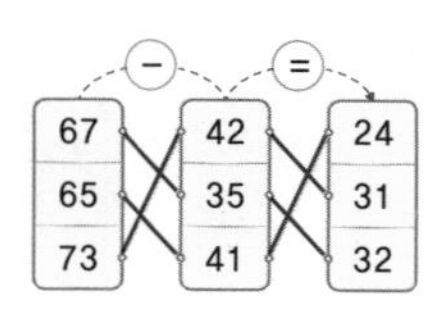

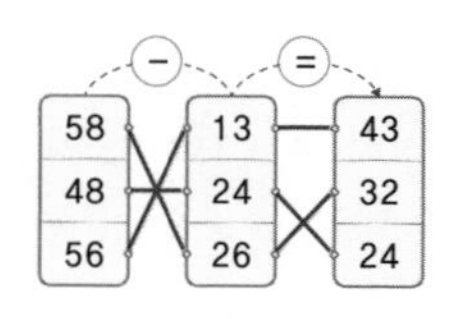

2 동물원에 여우가 63마리, 너구리가 42마리 있습니다. 여우는 너구리보다 몇 마리 더 많을까요?

식 63 − 42 = 21 답 21 마리

3 주어진 수를 모두 사용하여 뺄셈식을 완성하세요.

$$\begin{array}{r} 96 \\ -\ 43 \\ \hline 53 \end{array}$$

4 하영이네 학교의 학생 수는 78명입니다.
그중에서 남학생은 41명입니다. 여학생은 몇 명일까요?

식
$$\begin{array}{r} 78 \\ -\ 41 \\ \hline 37 \end{array}$$

답 37 명

5 빈칸에 알맞은 수를 쓰세요.

66	34	32
43	12	31
23	22	

87	55	32
35	22	13
52	33	

6 밑줄 친 몇을 □라 하여 식을 세우고 □의 값을 구하세요.

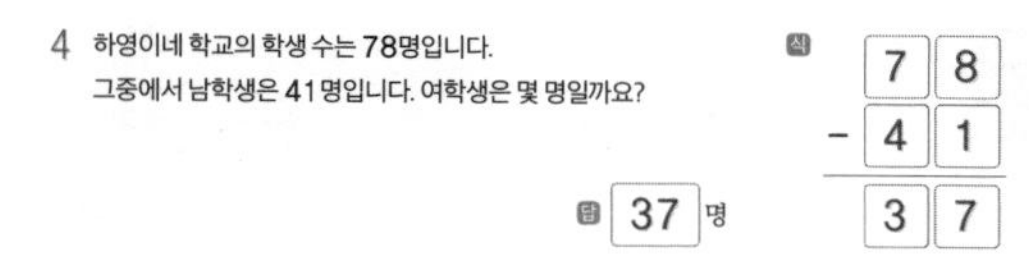

동화책이 57권 있습니다. 도서관에 몇 권을 기부하였더니 23권이 남았습니다.

식 57−□=23 □= 34 권

44쪽

7 주어진 수를 사용하여 계산 결과에 맞게 □ 안에 알맞은 수를 쓰세요.

11 32 46

32 − 11 = 21

46 − 32 = 14

46 − 11 = 35

8 일의 자리 숫자가 8인 두 자리 수와 십의 자리 숫자가 3인 두 자리 수가 있습니다. 이 두 수의 차가 26일 때 두 수를 각각 구하세요.

□8 3□

두 수: 58, 32

9 알맞은 말에 ○표 하고, 식을 완성하세요.

색연필은 36개, 크레파스는 48개 있습니다.
(색연필 , (크레파스))는 ((색연필), 크레파스)보다 몇 개 더 많을까요?

식 48 − 36 = 12 답 12 개

덧셈과 뺄셈

46・47쪽

1일 121 덧셈과 뺄셈

개념원리 그림을 보고 덧셈식과 뺄셈식을 써 봅시다.

65+21=86
65에 21을 더해서 86이 되었습니다.

76−44=32
76에서 44를 뺐더니 32가 남았습니다.

53−32=21

31+25=56

68−27=41

23+53=76

56+12=68

45−15=30

43+25= 68	73−52= 21	23+52= 75
68−36= 32	28+61= 89	78−61= 17
52+26= 78	85−43= 42	34+35= 69
36−12= 24	15+42= 57	63−42= 21

46 + 32 = 78
74 − 41 = 33
54 + 34 = 88
56 − 13 = 43
26 + 43 = 69
74 − 23 = 51

46 응용연산 P4 | 3주: 덧셈과 뺄셈 47

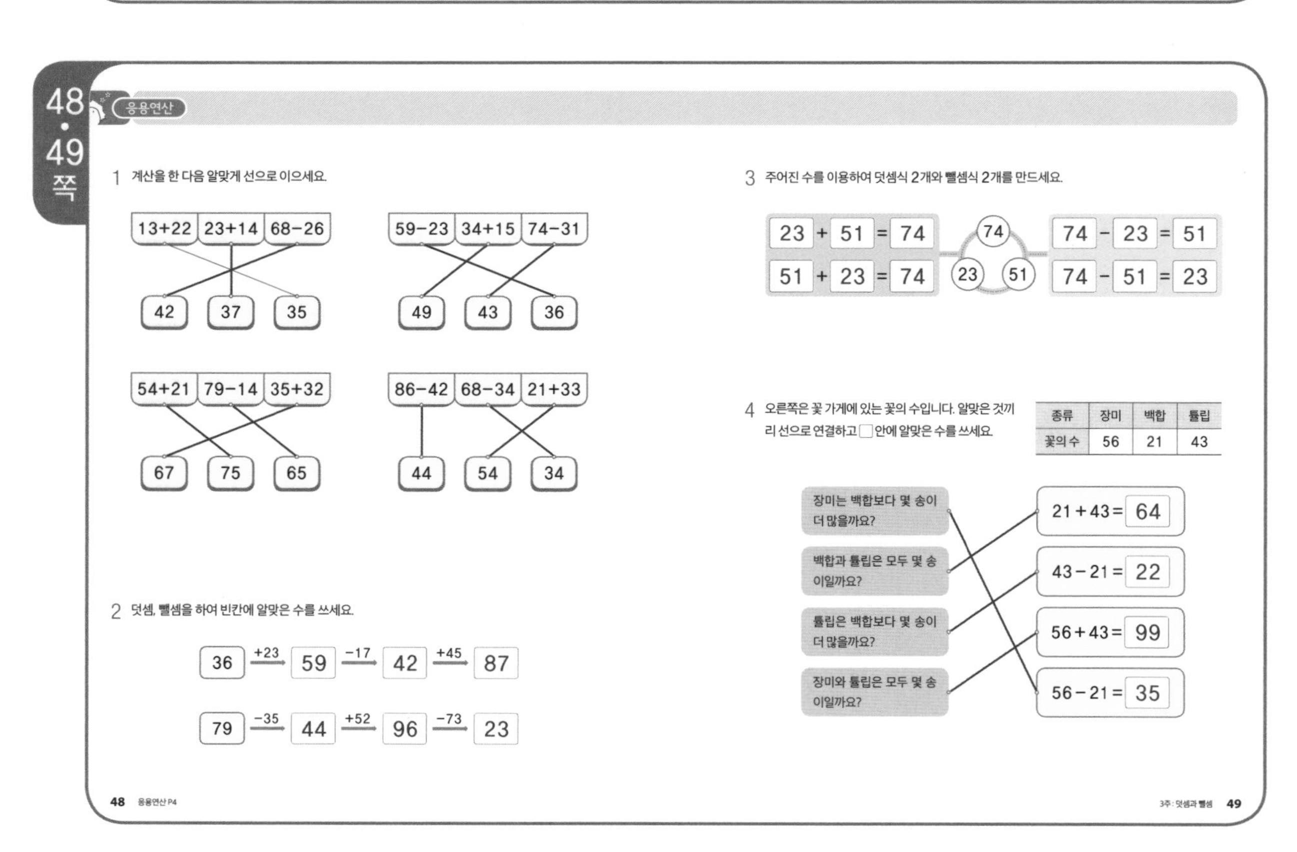

48・49쪽 응용연산

1 계산을 한 다음 알맞게 선으로 이으세요.

13+22 — 35
23+14 — 37
68−26 — 42

59−23 — 36
34+15 — 49
74−31 — 43

54+21 — 75
79−14 — 65
35+32 — 67

86−42 — 44
68−34 — 34
21+33 — 54

2 덧셈, 뺄셈을 하여 빈칸에 알맞은 수를 쓰세요.

36 →(+23) 59 →(−17) 42 →(+45) 87

79 →(−35) 44 →(+52) 96 →(−73) 23

3 주어진 수를 이용하여 덧셈식 2개와 뺄셈식 2개를 만드세요.

(74, 23, 51)

23 + 51 = 74
51 + 23 = 74
74 − 23 = 51
74 − 51 = 23

4 오른쪽은 꽃 가게에 있는 꽃의 수입니다. 알맞은 것끼리 선으로 연결하고 □ 안에 알맞은 수를 쓰세요.

종류	장미	백합	튤립
꽃의 수	56	21	43

장미는 백합보다 몇 송이 더 많을까요? — 56−21= 35
백합과 튤립은 모두 몇 송이일까요? — 21+43= 64
튤립은 백합보다 몇 송이 더 많을까요? — 43−21= 22
장미와 튤립은 모두 몇 송이일까요? — 56+43= 99

48 응용연산 P4 | 3주: 덧셈과 뺄셈 49

50·51쪽

□가 있는 덧셈과 뺄셈

□ 안에 알맞은 수를 넣고, 식을 완성하여 봅시다.

44	33
77	

44+33=77

56−25=31

32	52
84	

32+52=84

39−16=23

25	51
76	

25+51=76

98−35=63

26	22
48	

26+22=48

68−34=34

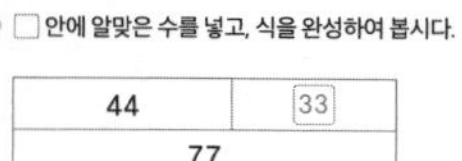

43+13=56　64−31=33　52+24=76

76−42=34　52+36=88　68−36=32

25+53=78　87−42=45　35+62=97

93−52=41　35+34=69　68−23=45

36+43=79　68−36=32　45+42=87

76−22=54　68+31=99　89−73=16

52·53쪽

응용연산

1 다음 모양이 나타내는 수를 구하세요.

67−◆=26　◆=41

37+♥=89　♥=52

♠+30=65　♠=35

♣−23=46　♣=69

2 같은 모양은 같은 수를 나타냅니다. □ 안에 알맞은 수를 쓰세요.

99−■=54　■+12=57　(45)

34+●=75　87−●=46　(41)

⬟+17=48　76−⬟=45　(31)

▲−25=62　▲+11=98　(87)

78−★=25　★+32=85　(53)

55+⬢=66　98−⬢=87　(11)

3 어떤 수를 구하고 바르게 계산한 것을 찾아 선으로 이으세요.

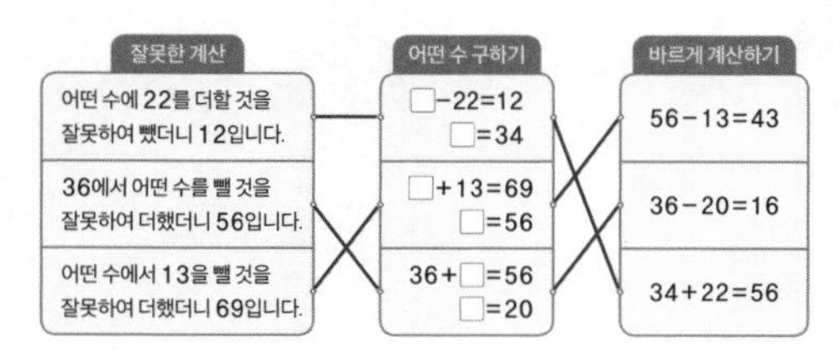

잘못한 계산	어떤 수 구하기	바르게 계산하기
어떤 수에 22를 더할 것을 잘못하여 뺐더니 12입니다.	□−22=12, □=34	56−13=43
36에서 어떤 수를 뺄 것을 잘못하여 더했더니 56입니다.	□+13=69, □=56	36−20=16
어떤 수에서 13을 뺄 것을 잘못하여 더했더니 69입니다.	36+□=56, □=20	34+22=56

4 밑줄 친 몇을 □라 하여 식을 세우고 답을 구하세요.

농장에 돼지 48마리가 있습니다. 몇 마리를 팔았더니 33마리가 남았습니다. 판 돼지는 몇 마리일까요?

식 48−□=33　답 15 마리

운동장에 몇 명이 있습니다. 잠시 후 12명이 더 와서 59명이 되었습니다. 처음에 운동장에는 몇 명 있었을까요?

식 □+12=59　답 47 명

54·55쪽

3일 123 **합과 차**

개념원리 두 수의 합과 차를 구해 봅시다.

21 47 → 합 68 ← 21+47, 차 26 ← 47−21

21과 47의 합은 21+47=68이고
21과 47의 차는 47−21=26입니다.
차를 구할 때는 큰 수에서 작은 수를 뺍니다.

두 수	합	차
67 32	99	35
22 45	67	23
42 32	74	10
34 64	98	30
75 13	88	62
12 36	48	24
48 31	79	17
21 56	77	35
76 23	99	53

○ 안에는 >, =, <를, □ 안에는 수를 쓰세요.

68 − 24 (=) 20 + 24 (44, 44)

25 + 63 (>) 99 − 15 (88, 84)

87 − 15 (<) 34 + 42 (72, 76)

73 − 31 (=) 31 + 11 (42, 42)

23 + 26 (>) 88 − 42 (49, 46)

25 + 13 (>) 57 − 21 (38, 36)

25 + 32 = [69] − 12

53 + [33] = 99 − 13

45 + 12 = [89] − 32

11 + [21] = 67 − 35

31 + 32 = 87 − [24]

[15] + 33 = 69 − 21

15 + 31 = 59 − [13]

[22] + 12 = 78 − 44

56·57쪽

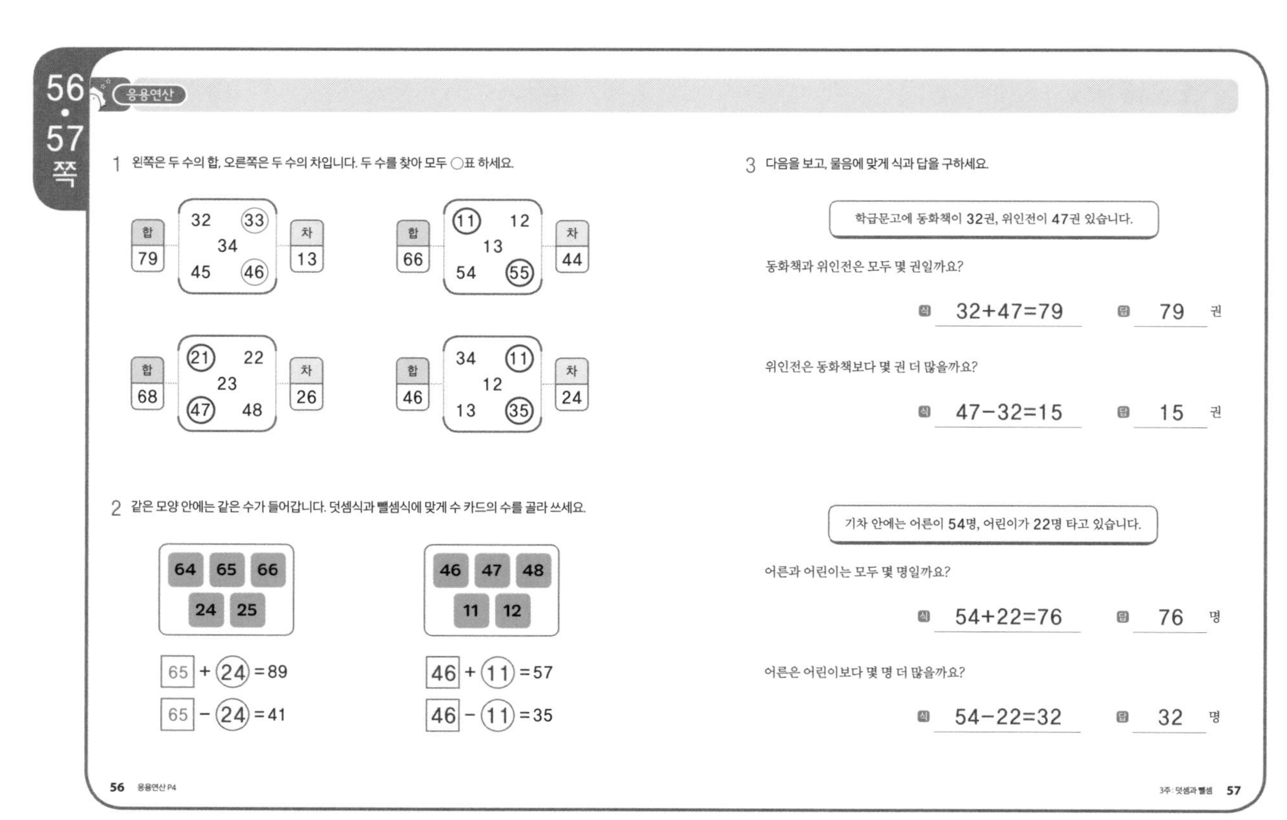

응용연산

1 왼쪽은 두 수의 합, 오른쪽은 두 수의 차입니다. 두 수를 찾아 모두 ○표 하세요.

합 79: 32, (33), 34, 45, (46) 차 13

합 66: (11), 12, 13, 54, (55) 차 44

합 68: (21), 22, 23, (47), 48 차 26

합 46: 34, (11), 12, 13, (35) 차 24

2 같은 모양 안에는 같은 수가 들어갑니다. 덧셈식과 뺄셈식에 맞게 수 카드의 수를 골라 쓰세요.

카드: 64 65 66 24 25

[65] + (24) = 89

[65] − (24) = 41

카드: 46 47 48 11 12

[46] + (11) = 57

[46] − (11) = 35

3 다음을 보고, 물음에 맞게 식과 답을 구하세요.

학급문고에 동화책이 32권, 위인전이 47권 있습니다.

동화책과 위인전은 모두 몇 권일까요?

식 32+47=79 답 79 권

위인전은 동화책보다 몇 권 더 많을까요?

식 47−32=15 답 15 권

기차 안에는 어른이 54명, 어린이가 22명 타고 있습니다.

어른과 어린이는 모두 몇 명일까요?

식 54+22=76 답 76 명

어른은 어린이보다 몇 명 더 많을까요?

식 54−22=32 답 32 명

58·59쪽

4일 124 숫자 카드 덧셈과 뺄셈

개념원리 숫자 카드를 한 번씩 써서 만든 가장 큰 두 자리 수와 가장 작은 두 자리 수의 합과 차를 구해 봅시다.

5 2 6 3

가장 큰 두 자리 수: 65

가장 작은 두 자리 수: 23

두 수의 합: 65+23=88

두 수의 차: 65−23=42

7 3 6 1

가장 큰 두 자리 수: 76

가장 작은 두 자리 수: 13

두 수의 합: 76+13=89

두 수의 차: 76−13=63

8 1 4 5

가장 큰 두 자리 수: 85

가장 작은 두 자리 수: 14

두 수의 합: 85+14=99

두 수의 차: 85−14=71

숫자 카드를 한 번씩 사용하여 만든 가장 큰 두 자리 수와 가장 작은 두 자리 수의 합과 차를 구하는 식을 쓰세요.

2 1 6 5

합: 65+12=77

차: 65−12=53

5 3 2 4

합: 54+23=77

차: 54−23=31

1 5 7 4

합: 75+14=89

차: 75−14=61

4 7 1 2

합: 74+12=86

차: 74−12=62

5 2 6 4

합: 65+24=89

차: 65−24=41

60·61쪽

응용연산

1 숫자 카드를 한 번씩 사용하여 식을 완성하세요.

카드 1 2 7 3: 37−12=25, 73+12=85, 73−12=61

카드 2 5 4 3: 35+24=59, 54−23=31, 32+54=86

카드 8 4 1 3: 84−13=71, 84+13=97, 48−13=35

카드 6 2 4 5: 46+52=98, 65−24=41, 64+25=89

덧셈식에서는 십의 자리 두 숫자끼리, 일의 자리 두 숫자끼리 서로 바꾸어 쓸 수 있습니다.

2 다음 문장에 맞게 □ 안에 알맞은 수를 쓰고 두 수를 구하세요.

십의 자리 숫자가 7인 두 자리 수에서 일의 자리 숫자가 1인 두 자리 수를 빼면 45입니다.

두 수: 76, 31

76−31=45

일의 자리 숫자가 5인 두 자리 수에 십의 자리 숫자가 2인 두 자리 수를 더하면 78입니다.

두 수: 55, 23

55+23=78

3 숫자 카드를 보고, 물음에 답하세요.

2 7 3 6 5

숫자 카드로 만든 두 자리 수 중 일의 자리 숫자가 5인 가장 큰 수와 십의 자리 숫자가 2인 가장 작은 수의 합은 얼마일까요?

75+23=98 **98**

숫자 카드로 만든 두 자리 수 중 십의 자리 숫자가 6인 가장 큰 수와 일의 자리 숫자가 5인 가장 작은 수의 차는 얼마일까요?

67−25=42 **42**

62·63쪽

5일 형성평가

1 계산을 한 다음 알맞게 선으로 이으세요.

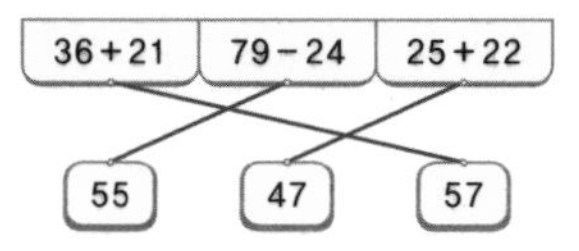

2 주어진 수를 이용하여 덧셈식 2개와 뺄셈식 2개를 만드세요.

24 + 32 = 56 (56, 24, 32) 56 − 24 = 32

32 + 24 = 56　　　56 − 32 = 24

3 같은 모양은 같은 수를 나타냅니다. □ 안에 알맞은 수를 쓰세요.

34 + ◆ = 79　　　♥ − 26 = 32

43 + ◆ = 88 (45)　　　41 + ♥ = 99 (58)

4 밑줄 친 몇을 □라 하여 식을 세우고 답을 구하세요.

수족관에 몇 명이 줄을 서 있습니다. 먼저 35명이 입장하였더니 23명이 남았습니다. 처음 수족관에는 몇 명이 줄을 서 있었을까요?

식 □−35=23　　답 58 명

5 왼쪽은 두 수의 합, 오른쪽은 두 수의 차입니다. 두 수를 찾아 모두 ○표 하세요.

합 88 | 31, 32, (33), (55), 56 | 차 22

6 기차 안에는 어른이 54명, 어린이가 22명 타고 있습니다. 물음에 맞게 식과 답을 구하세요.

어른과 어린이는 모두 몇 명일까요?

식 54+22=76　　답 76 명

어른은 어린이보다 몇 명 많을까요?

식 54−22=32　　답 32 명

62 응용연산 P4　　3주: 덧셈과 뺄셈 63

64쪽

7 숫자 카드를 한 번씩 사용하여 만든 가장 큰 두 자리 수와 가장 작은 두 자리 수의 합과 차를 구하는 식과 답을 쓰세요.

2 6 4 3

합: 64+23=87

차: 64−23=41

8 숫자 카드를 한 번씩 사용하여 식을 완성하세요.

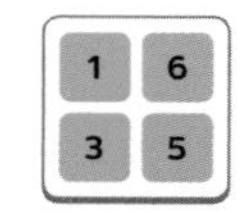

31 + 65 = 96　　56 − 13 = 43

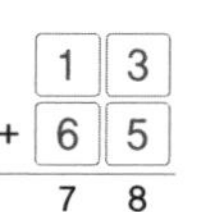

덧셈식에서는 십의 자리 두 숫자끼리, 일의 자리 두 숫자끼리 서로 바꾸어 쓸 수 있습니다.

9 십의 자리 숫자가 9인 두 자리 수에서 일의 자리 숫자가 4인 두 자리 수를 빼면 23입니다. □ 안에 알맞은 수를 쓰고 두 수를 구하세요.

9[7] − [7]4 = 23

두 수: 97, 74

64 응용연산 P4

세 수의 계산

66·67쪽

1일 125 세 수의 합

개념원리 계산을 하여 □ 안에 알맞은 수를 써 봅시다.

32+13+22=67 (3+1+2, 2+3+2)

32+13+22=67

51+12+34=97

17+21+31=69

23+31+14=68

13+22+11=46

42+21+32=95

24+31+12=67

23+34+22=79

45+31+12=88

51+22+13=86

21+24+32=77

22+34+23=79

61+15+21=97

23+42+24=89

42+23+31=96

31+16+31=78

42+23+12=77

32+14+21=67

52+24+23=99

62+15+21=98

21+43+12=76

11+30+24=65

68·69쪽

응용연산

1 연결된 세 수의 합이 ☆ 안의 수가 되도록 삼각형을 그리세요.

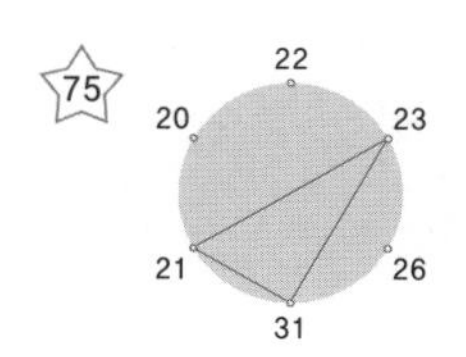

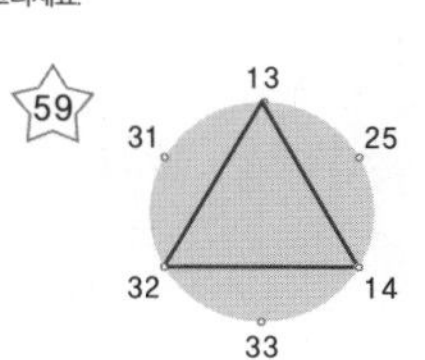

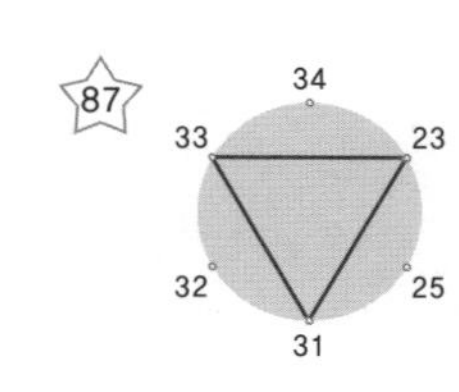

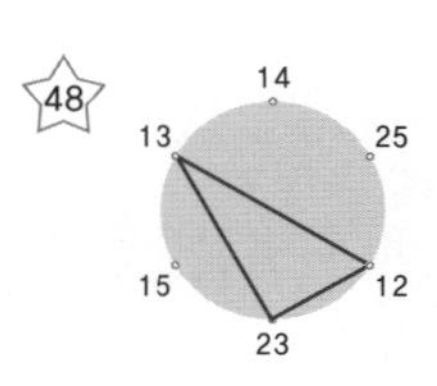

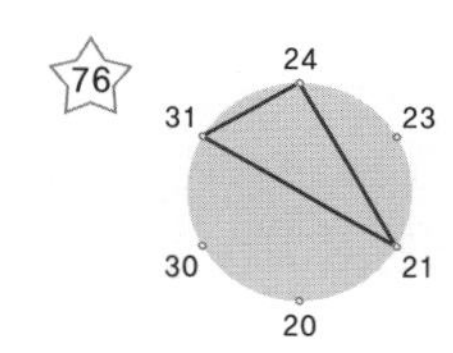

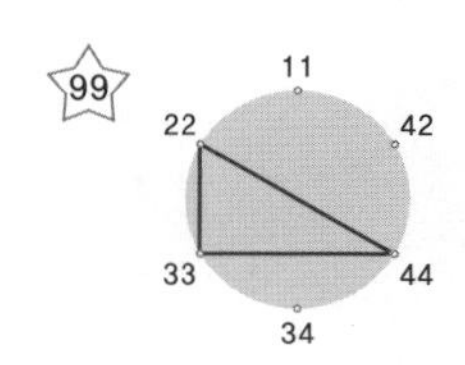

2 다음과 같이 세 수의 합에 맞게 숫자 하나를 지우고 바른 식을 쓰세요.

2 ~~1~~ + 5 3 + 2 4 = 79 ➡ 2+53+24=79

~~1~~ 2 + 2 1 + 3 5 = 58 ➡ 2+21+35=58

6 1 + 2 4 + ~~1~~ 1 = 86 ➡ 61+24+1=86

5 2 + 4 5 + ~~3~~ 2 = 99 ➡ 52+45+2=99

3 승철이는 사탕을 12개 가지고 있습니다. 정호는 승철이보다 사탕을 11개 더 가지고 있습니다. 승철이와 정호가 가지고 있는 사탕은 모두 몇 개일까요?

식 12 + 12 + 11 = 35 답 35 개

4 농장에 오리 22마리와 닭 14마리가 있습니다. 이 농장에 병아리 31마리를 더 넣었습니다. 농장에 있는 동물은 모두 몇 마리일까요?

식 22+14+31=67 답 67 마리

70·71쪽

2일 126

빼고 빼기

개념원리 두 가지 방법으로 세 수의 뺄셈을 해 봅시다.

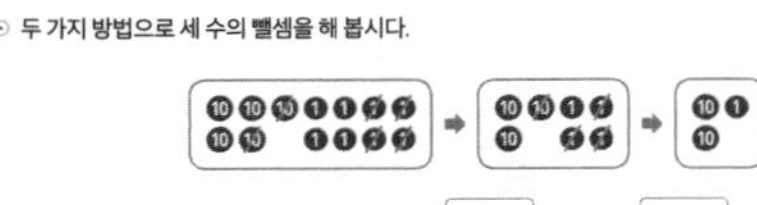

58 − 24 − 13 = 34 − 13 = 21

앞의 두 수를 계산한 다음 나머지 수를 계산합니다.

85 − 13 − 22 = 85 − 35 = 50

빼고 뺄 때는 모아서 뺄 수 있습니다.

76 − 22 − 24 = 54 − 24 = 30

97 − 34 − 42 = 63 − 42 = 21

59 − 24 − 14 = 59 − 38 = 21

78 − 12 − 43 = 78 − 55 = 23

85 − 21 − 32 = 64 − 32 = 32

68 − 15 − 32 = 68 − 47 = 21

57 − 33 − 12 = 24 − 12 = 12

77 − 23 − 24 = 77 − 47 = 30

48 − 11 − 14 = 37 − 14 = 23

96 − 32 − 32 = 96 − 64 = 32

67 − 20 − 22 = 25

38 − 14 − 13 = 11

83 − 21 − 31 = 31

56 − 23 − 12 = 21

79 − 34 − 23 = 22

99 − 22 − 33 = 44

70 응용연산 P4 / 4주 : 세 수의 계산 71

72·73쪽

응용연산

1 계산 결과에 맞게 길을 그리세요.

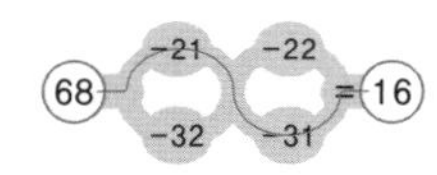

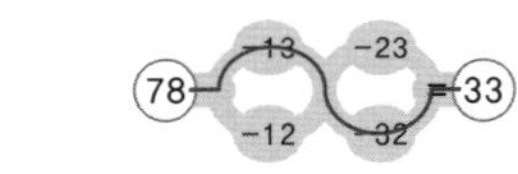
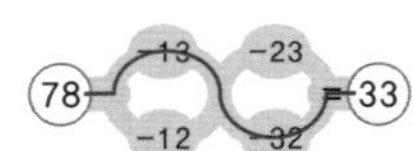

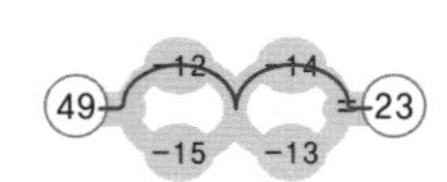

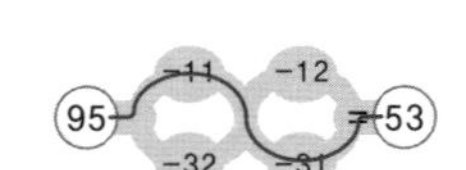

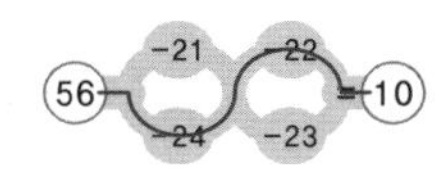

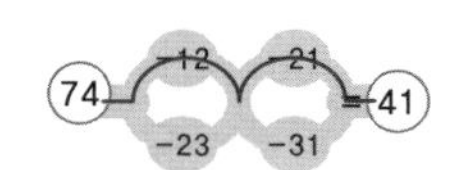

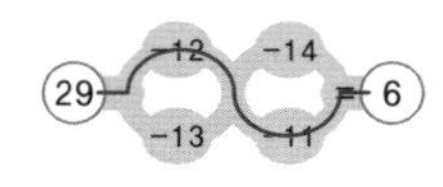

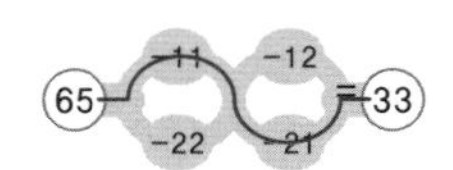

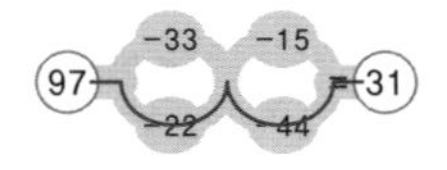

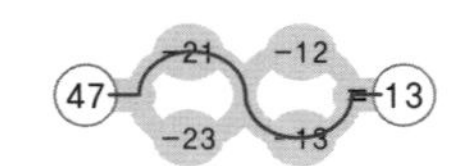

2 다음 수직선의 빈칸에 알맞은 수를 쓰고 □ 안에 알맞은 수를 쓰세요.

−24, −13, 32, 56, 69, −37

69 − 13 − 24 = 69 − 37 = 32

3 어떤 수에서 23을 빼고 15를 빼는 것은 어떤 수에서 얼마를 빼는 것과 같을까요? 38

4 민재는 동화책을 오전에 31쪽 읽고, 오후에 15쪽 읽었습니다. 이 책은 88쪽까지 있습니다. 민재가 동화책을 다 읽으려면 몇 쪽을 더 읽어야 할까요?

식 88−31−15=42 답 42 쪽

5 방울토마토가 79개 있습니다. 그중 민주와 주희가 12개씩 먹었습니다. 남은 방울토마토는 몇 개일까요?

식 79−12−12=55 답 55 개

72 응용연산 P4 / 4주 : 세 수의 계산 73

3일 127

세 수의 계산

개념원리 두 가지 방법으로 세 수의 계산을 해 봅시다.

56 − 22 + 25 = 34 + 25 = 59

56과 22의 차를 구한 다음 그 계산 결과에 25를 더합니다.

56 − 22 + 25 = 56 + 3 = 59

22를 빼고 25를 더하는 것은 3을 더하는 것과 같습니다.

56 →(−22) 34 →(+25) 59 (+3)

44 + 32 − 34 = 76 − 34 = 42

44 + 32 − 34 = 44 − 2 = 42

44 →(+32) 76 →(−34) 42 (−2)

65 − 41 + 45 = 24 + 45 = 69

65 − 41 + 45 = 65 + 4 = 69

65 →(−41) 24 →(+45) 69 (+4)

45 + 33 − 21 = 78 − 21 = 57

75 + 24 − 21 = 75 + 3 = 78

66 − 15 + 25 = 51 + 25 = 76

84 − 53 + 42 = 84 − 11 = 73

53 + 43 − 45 = 96 − 45 = 51

26 + 41 − 45 = 26 − 4 = 22

48 − 36 + 25 = 37

86 − 23 − 11 = 52

63 + 15 − 47 = 31

79 − 37 + 35 = 77

97 − 24 − 23 = 50

53 − 21 + 27 = 59

76 · 77 쪽

응용연산

1 ○ 안에 + 또는 −를 채우세요.

35 (+) 21 (−) 43 = 13

69 (−) 13 (−) 25 = 31

26 (−) 13 (+) 53 = 66

46 (+) 23 (−) 34 = 35

15 (+) 52 (+) 22 = 89

87 (−) 42 (+) 23 = 68

96 (−) 54 (+) 35 = 77

51 (+) 36 (−) 45 = 42

2 규칙에 따라 삼각형 속에 수를 쓴 것입니다. 빈칸에 알맞은 수를 쓰세요.

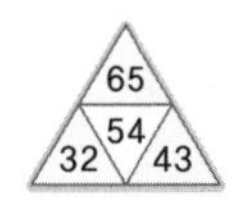

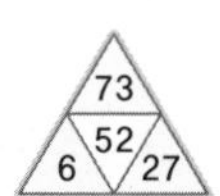

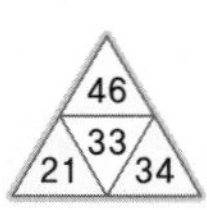

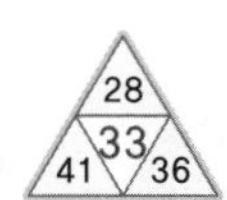

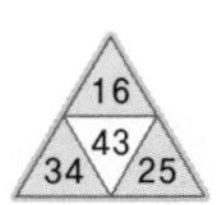

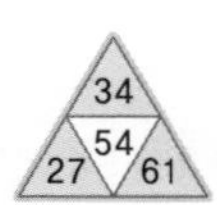

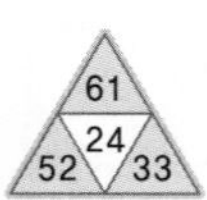

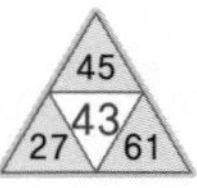

3 ○ 안에 + 또는 −를 쓰고, 식과 답을 완성하세요.

종호는 사탕을 45개 가지고 있습니다.
동생에게 14개를 주고, 어머니에게 32개를 받았습니다.
종호가 가지고 있는 사탕은 몇 개일까요?

식 45 (−) 14 (+) 32 = 63 답 63 개

4 코끼리 열차에 54명이 타고 있었습니다. 동물원에서 23명이 내리고, 식물원에서 12명이 탔습니다. 지금 코끼리 열차에 타고 있는 사람은 몇 명일까요?

식 54−23+12=43 답 43 명

5 빨간색 구슬이 24개, 파란색 구슬이 31개 있습니다. 노란색 구슬은 빨간색 구슬과 파란색 구슬을 더한 것보다 13개 적다면 노란색 구슬은 몇 개일까요?

식 24+31−13=42 답 42 개

78·79쪽

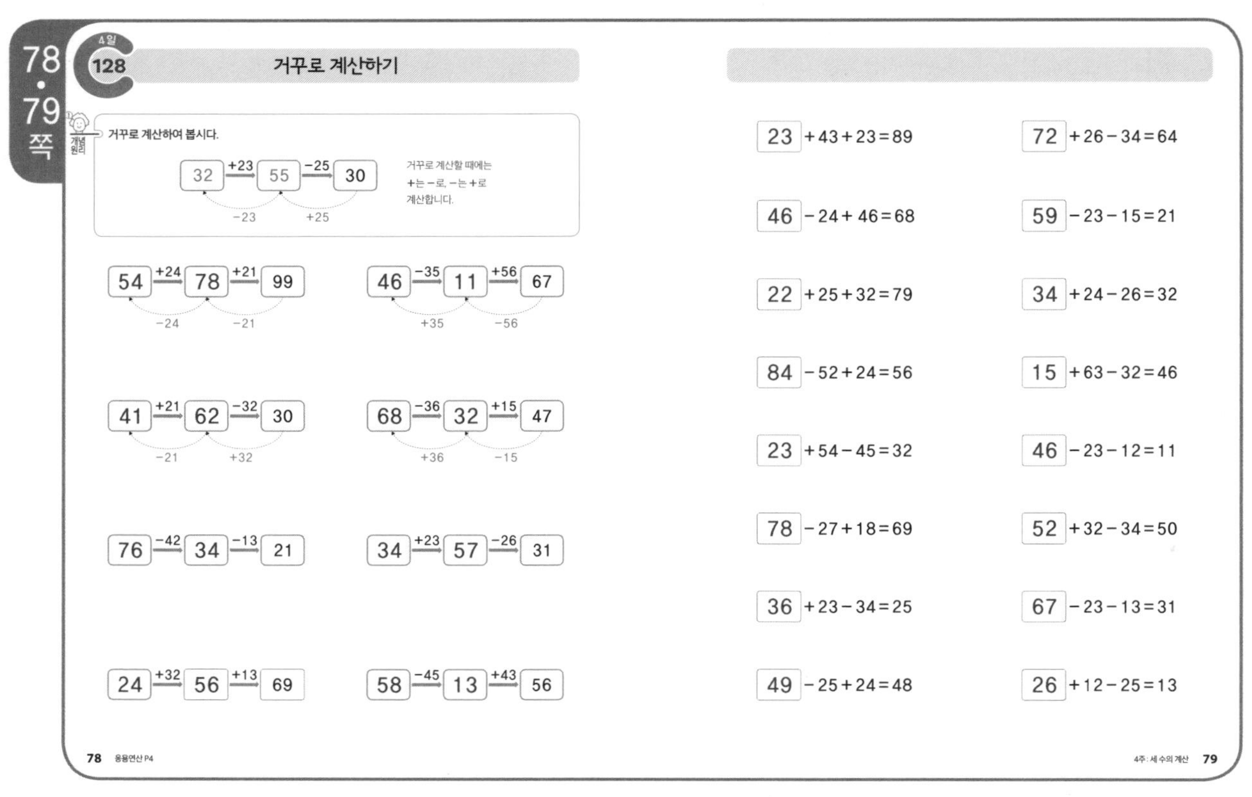

4일 128 거꾸로 계산하기
거꾸로 계산하여 봅시다.
32 +23 55 −25 30
−23 +25
거꾸로 계산할 때에는 +는 −로, −는 +로 계산합니다.
54 +24 78 +21 99
−24 −21
46 −35 11 +56 67
+35 −56
41 +21 62 −32 30
−21 +32
68 −36 32 +15 47
+36 −15
76 −42 34 −13 21
34 +23 57 −26 31
24 +32 56 +13 69
58 −45 13 +43 56
23 + 43 + 23 = 89
72 + 26 − 34 = 64
46 − 24 + 46 = 68
59 − 23 − 15 = 21
22 + 25 + 32 = 79
34 + 24 − 26 = 32
84 − 52 + 24 = 56
15 + 63 − 32 = 46
23 + 54 − 45 = 32
46 − 23 − 12 = 11
78 − 27 + 18 = 69
52 + 32 − 34 = 50
36 + 23 − 34 = 25
67 − 23 − 13 = 31
49 − 25 + 24 = 48
26 + 12 − 25 = 13
78 응용연산 P4
4주: 세 수의 계산 79

80·81쪽

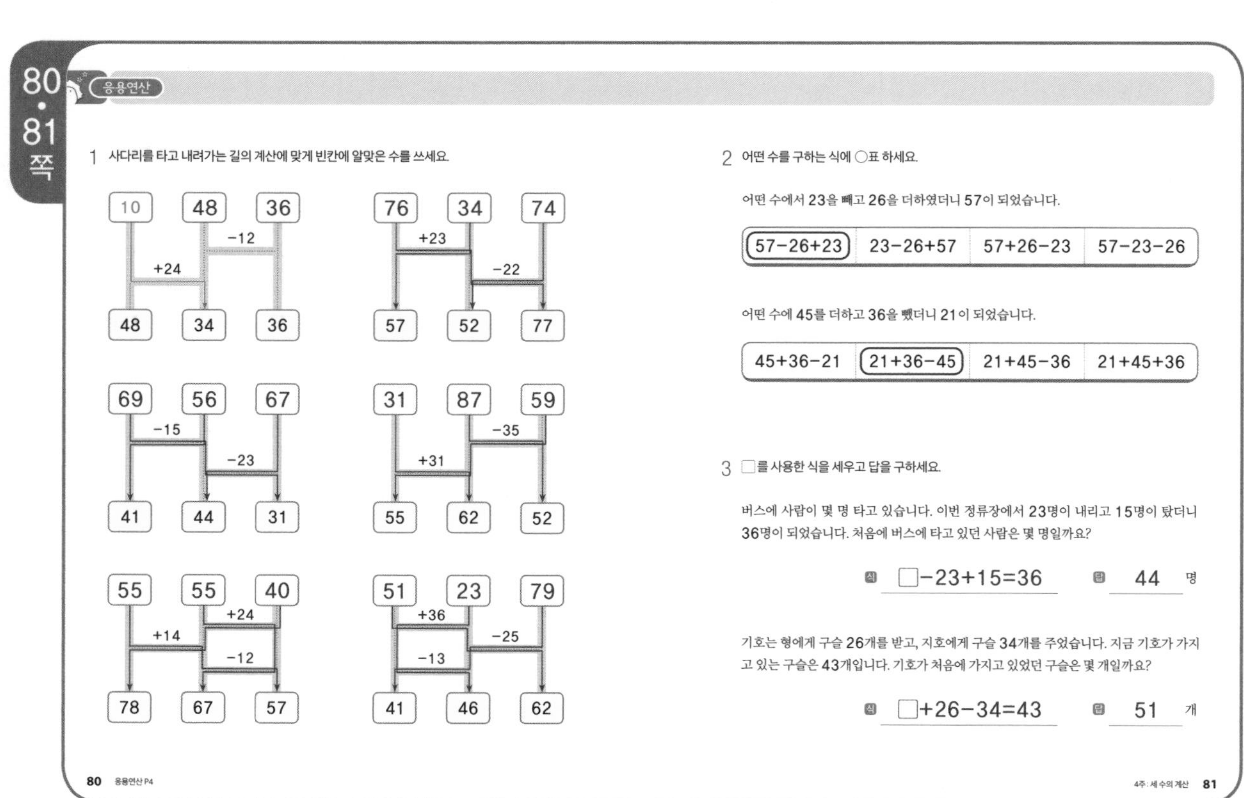

응용연산
1 사다리를 타고 내려가는 길의 계산에 맞게 빈칸에 알맞은 수를 쓰세요.
10 48 36
+24 −12
48 34 36
76 34 74
+23 −22
57 52 77
69 56 67
−15 −23
41 44 31
31 87 59
−35 +31
55 62 52
55 55 40
+24 +14 −12
78 67 57
51 23 79
+36 −25 −13
41 46 62
2 어떤 수를 구하는 식에 ○표 하세요.
어떤 수에서 23을 빼고 26을 더하였더니 57이 되었습니다.
57−26+23
23−26+57
57+26−23
57−23−26
어떤 수에 45를 더하고 36을 뺐더니 21이 되었습니다.
45+36−21
21+36−45
21+45−36
21+45+36
3 □를 사용한 식을 세우고 답을 구하세요.
버스에 사람이 몇 명 타고 있습니다. 이번 정류장에서 23명이 내리고 15명이 탔더니 36명이 되었습니다. 처음에 버스에 타고 있던 사람은 몇 명일까요?
식 □−23+15=36
답 44 명
기호는 형에게 구슬 26개를 받고, 지호에게 구슬 34개를 주었습니다. 지금 기호가 가지고 있는 구슬은 43개입니다. 기호가 처음에 가지고 있었던 구슬은 몇 개일까요?
식 □+26−34=43
답 51 개
80 응용연산 P4
4주: 세 수의 계산 81

82·83쪽

5일 형성평가

1 연결된 세 수의 합이 ☆ 안의 수가 되도록 삼각형을 그리세요.

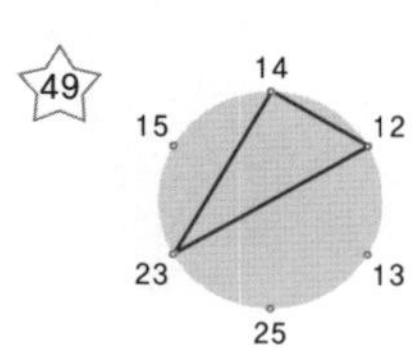

2 상자에 딸기와 토마토가 들어 있습니다. 딸기가 24개 있고, 토마토는 딸기보다 21개 더 많습니다. 상자에 들어 있는 과일은 모두 몇 개일까요?

식 24+24+21=69 답 69 개

3 계산 결과에 맞게 길을 그리세요.

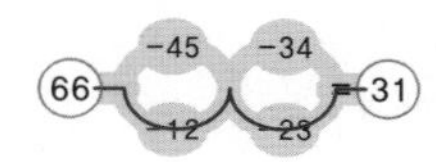

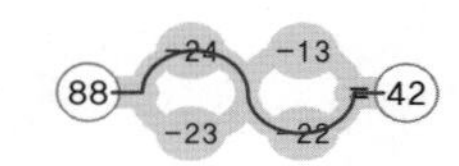

4 준호는 구슬을 79개 가지고 있습니다. 주영이와 창희에게 구슬을 23개씩 나누어 주면 남은 구슬은 몇 개일까요?

식 79−23−23=33 답 33 개

5 계산을 하세요.

54−21+24= 57

78−12−24= 42

32+44+22= 98

43+45−36= 52

6 ○ 안에 + 또는 −를 채우세요.

42 (+) 36 (−) 46=32

34 (+) 13 (+) 32=79

65 (−) 23 (+) 32=74

51 (+) 23 (−) 54=20

84쪽

7 도서관에는 동화책이 87권 있습니다. 오늘 35권을 빌려주고, 24권을 돌려 받았습니다. 도서관에 남아 있는 동화책은 몇 권일까요?

식 87−35+24=76 답 76 권

8 사다리를 타고 내려가는 길의 계산에 맞게 빈칸에 알맞은 수를 쓰세요.

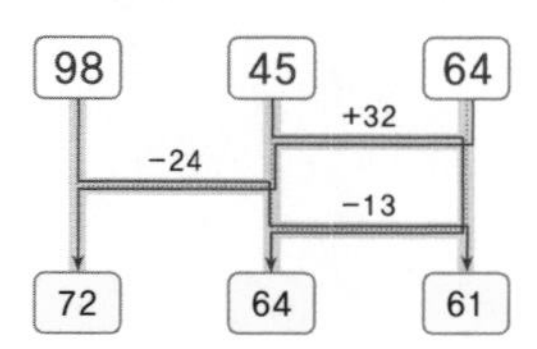

9 □를 사용한 식을 세우고 답을 구하세요.

진영이는 색종이를 몇 장 가지고 있었습니다. 세호에게 33장 주고, 재승이에게 27장을 받았더니 58장이 남았습니다. 진영이가 처음에 가지고 있던 색종이는 몇 장일까요?

식 □−33+27=58 답 64 장

Memo

Memo

“

Numbers rule the universe.

”

"수가 우주를 지배한다"

Pythagoras, 피타고라스